自然にみんながやる気！になる

過剰管理の処方箋

神戸大学大学院
経営学研究科教授
金井壽宏

ゴールドラット・
コンサルティング・ディレクター
岸良裕司

かんき出版

本文イラスト　きしらまゆこ

木掛係長のものがたり

作：岸良 裕司　絵：きしら まゆこ

1
あの時もっと細かい心配りができていれば
こんなことにならなかったのに…

むかしむかしある会社に木掛係長というひとがおりました。木掛係長はとてもおっちょこちょい。いつも失敗ばかりしてしまいます。

心配りが足りないといわれるあなたに朗報
心配りS錠
新発売
心配りS錠
30錠
あなたも心配りのできる人に♪
心配りができないのは心配菌が足りないのです

2
かんき薬局
心と体のお悩み お気軽にご相談下さい

「ボクはなんで心配りができないんだろう……」とトボトボ歩いていると、薬局の店先のポスターが目に入ってきました。

薬局の人の説明によると、『心配りＳ錠』はもともとひとの心にある「心配菌」を増やすことにより、心配りができるようになるというものでした。
木掛係長はさっそく薬を購入することにしました。

3

『心配りＳ錠』をのんでからというもの木掛係長はまるで別人のようです。「心配菌」が、前もって問題がないか、いつも木掛係長の心に働きかけて知らせてくれるおかげで、問題をいつも未然に防ぐことができるのです。

4

問題が起こっても大丈夫！ そういうときこそ、人一倍、みんなに心配りができ、頼りにされる存在になりました。木掛係長はいつも大活躍、今では大評判の係長です。

5

ある日、経営幹部から、大きなプロジェクトのリーダーに抜擢されました。プロジェクトリーダーには大きな責任があります。そのなかでも、納期の管理、コストの管理、品質の管理など極めて厳しい要求をみたさなければならない、会社としても最も重要なプロジェクトのリーダーです。

みんなの大きな期待にこたえなければなりません。責任感の強い木掛係長は、これだけの大きなプロジェクトをするのに今の「心配菌」だけで足りるのだろうか？不安になってきました。

不安で不安でたまらなくなった木掛係長は、その晩『心配りＳ錠』を２錠のむことにしました。

薬が効いたのか、木掛係長は、前にも増して、いろいろな問題をさらに鋭敏に感じとれるようになりました。問題を未然に防ぐために、より納期管理、コスト管理、品質管理など細かいところまで管理ができるようになっています。
でも、現場は大変です。管理作業に忙殺され、仕事が一向にはかどらず、むしろ問題が続出。心配事は増すばかり。そして、現場が心配事を報告すればするほど、木掛係長はそれに対する対策の報告を求めます。さらに、現場は報告作業に忙殺され、ますます仕事がはかどらなくなってきました。

9

やがて不思議なことが起こりました。最初は管理、管理で締めつけられ、大きな抵抗をしめしていた現場が、やがて管理されることが心地よく感じるようになってきたのです。おかげで管理はちゃんと行き届くようになりました。しかし、管理はきちんとできているのに、なぜか問題は増えるばかり。

10

今日は定期健康診断の日です。木掛係長は最近、不安で気分が沈みがちなので、お医者さんに相談すると、「過剰管理」という病気にかかっていることが判明しました。
「管理をしなければ落ち着かないマネジャー」と「管理が徹底されることが心地よいと思う現場」……周りにも感染していて、明らかに「過剰管理」の末期症状だといわれました。

11

12

検査の結果、木掛係長の心のなかの「心配菌」がすべて「過剰心配菌」に変異し、異常繁殖しています。

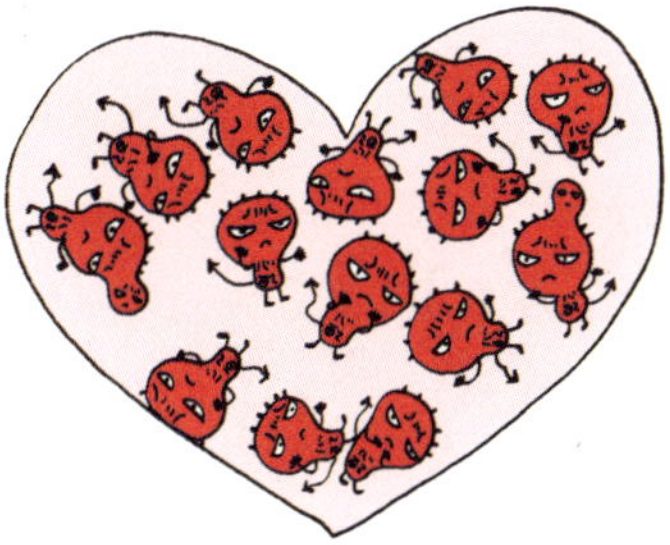

13

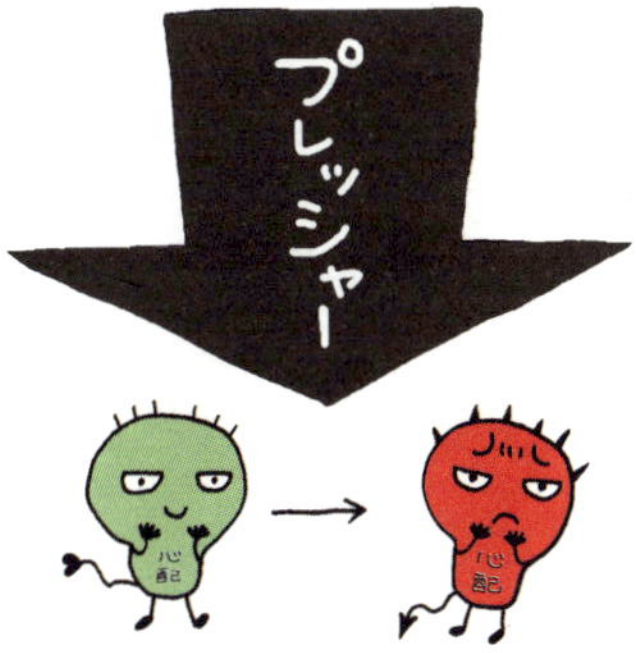

様々な実験結果により、「心配菌」に過剰なプレッシャーをかけると、「過剰心配菌」に変異することが判明しました。

14

過剰管理を治す「よみ薬『過剰管理の処方箋』」が処方されました。

ここで説明せねばなるまい

『心配りS錠』はもともとひとの心のなかにある「心配菌」を増やすことにより、より心配りができるように開発されたものなのは前述のとおり。しかし、木掛係長は、過剰なプレッシャーのなか、決められた用法を守らずに『心配りS錠』を倍飲み続けたために、心の中が「過剰心配菌」だらけになってしまったのだ。今回処方された「よみ薬『過剰管理の処方箋』」は「ゆとり」いうビタミン成分からなり、「過剰心配菌」をもう一度正常な心配りのできる「心配菌」の状態に戻すことができるのだ!

15

薬をよむと、木掛係長の心のなかの「過剰心配菌」が、みるみるうちにすべて心配りのできる「心配菌」に戻りました。

木掛係長は、「よみ薬『過剰管理の処方箋』」のおかげで、もうどんなプレッシャーにも負けない心配りのできる頼もしいリーダーです。

16

17

すぐに、現場のみんなにもこの薬を配りました。増殖したたくさんの「過剰心配菌」が、すべて心配りのできる「心配菌」に戻ったおかげで、思いやり、気配り、心配り、配慮、人情、温かみにあふれたすばらしい現場に生まれ変わりました。
人間性にあふれた人びとがたくさんいる豊かな現場のなかで、次から次へとすばらしい人材を輩出する会社になりましたとさ。

めでたし、めでたし。

まえがき

プロジェクションとは未来に向けて企てをすること。

ただし将来のことはわからないから、かつて実存主義哲学が語ったように、ひとは未知の将来に対して、一方で希望を抱き、他方では強い不安を感じる。

みなさんのなかには、プロジェクトでへとへとになった経験から「もうプロジェクトなんてこりごりだ」と思ったひとがいるかもしれない。

しかしプロジェクトでは、ひとりでは成し遂げられないこと、有期限の機動的なチームでないと速やかに実現できないテーマ、フォーマルなルーチン業務だけでは達成できないような進歩が達成されることもある。だから、ひとはプロジェクトというものに誇らしい響きも感じる。でなければ、NHKのかつての人気番組『プロジェクトX』を見ながら泣くひともいなかったはずだ。

厳しいプロジェクトであっても、志をもち、また正しい方法をもって、納得のいく人選で取り組めば、テレビ番組に取り上げられることはなくても、そこには何がしかの感動がある。

著者のひとり岸良裕司は、プロジェクトマネジメントの事例報告会で、人びとがプロジェクトの成功によって心から感動を語る姿を何度も見てきた。

もうひとりの著者、金井壽宏は岸良との出会いを通じて、この話はつまるところ、「管理の仕組み」と「組織のなかの人間行動」という、経営学では別々に語られてきた領域が、具体的、現実的にいえばプロジェクトの管理手法とモティベーションというふたつのテーマが、合流する世界だと気づかされた。

それがこの書物への旅の始まりであり、これを書いている間に、岸良は世界的なマネジメントサイエンティストであるイスラエルの物理学者エリヤフ・ゴールドラット博士とともに、文字どおり世界を旅することとなった。

みなさんの周りをながめてみてほしい。好むと好まざるとにかかわらず、世の中はプロジェクトだらけのはずだ。研究開発プロジェクト、商品開発プロジェクト、ソフト開発プロジェクト、建設プロジェクト、経営改革プロジェクト、行政改革プロジェクト……。

これらはいずれも未知への挑戦であり、同時に、会社や組織の根幹にもかかわるほどの大きな課題でもある。新しいことをするのは、同じことを繰り返し行うことよりも刺激的で楽しい。と同時に、プロジェクトには不確実性がつきものであり、ますます複雑になっていく現実に対処するという意味においても、メンバーたちの悩みはつきない。

よく聞く話だが、プロジェクトが始まってしばらくすると、現場は、

- 理不尽な要求に対応する苦労
- 予期せぬ問題に対処する苦労

●納期を守る苦労

の三重苦にまみれていく。メンバーたちの当初のやる気は次第に萎え、やりがいのないなかでスケジュールだけが進み、なんとか終えられたとしてもはりあいを感じられない。そんなプロジェクトを繰り返していくうちに、メンバーのモティベーションは下がり、仕事の質も低下していく。

しかしこれらの苦労は、人間だけが将来を考えることができ、時間軸で生きることができるがゆえに、そしてプロジェクトに相手先やチームが存在するがゆえに、生まれてくる苦労でもある。未知への不安と緊張は人びとを苦しめもするし、プロジェクトが成就した暁には、次なる挑戦への夢や希望につながって、人びとを感動させたりもする。

「将来のことがわからないから心配だ」という根源的不安に対処するため先進的な手法が世の中にあふれ、今日も新しい手法が開発されている。いかに上手にマネジメントするかについては様々な議論がなされているが、実のところ、うまくいったという話はあまり聞かない。むしろ、[01]よかれと思って実施した管理手法が、かえって現場を苦しめてしまうことも少なくないと聞く。

ここに、プロジェクトマネジメントをめぐる「タスク中心の話」と「人びとにまつわる話」とが合流することになる。詳しくは本論のなかで述べていくが、我々は、人びとが最初はがんばる気になっているのに、どんどん元気が失せて

01 白状すると、私自身たくさんやってきた気がする。迷惑をかけた人、ごめんなさい。

いく最大の原因は、「過剰管理」という病理にあるとにらんでいる。その症状をよりわかりやすく診断し、治療するため、本書には「心配菌」という病原菌を登場させた。

あらかじめ断わっておくと、心配菌はけっして悪玉菌ではない。いい心配と悪い心配があるだけだ。だとすれば、いい心配を体系化できれば、それ自体がマネジメントという世界をとらえるひとつの見方となるのではないか。そう考えて、この書物をつくっていく旅の終着駅を『過剰管理の処方箋』と名付けた。

今回、我々が共著の形で本を書くに至ったのは、タスクのなかのひとを中心に全体最適を図ったプロジェクトが実施され、完遂した暁には、多くの人びとが感動するということを、岸良が金井に吐露したのがきっかけだった。

ときには涙さえ伴う感動の趣で寄せられる感想、そのおとぎ話のようなストーリーに岸良はいくらかの戸惑いもおぼえていた。

金井も初めは半信半疑だった。しかし[02]これらの感動ストーリーを聞いていると、プロジェクトの納期が守られるだけでなく、大幅にスケジュールを短縮でき、お客様に喜んでもらえ、さらには残業が劇的に減って利益は増え、ひとが育ったというのだ。しかも、これが特殊な事例でないことは、様々な業界を越えて繰り返し起こる成功の数々によって明らかになってきている。

プロジェクトにおける苦労の裏地は輝いている。プロジェクトがひとを鍛え

02　日々世間の厳しい批判にさらされているプロジェクト現場といったら、おそらく公共事業の現場になろう。公共事業にかかわる職業に就いているひとたちが、日々どんな気持ちで暮らしているか想像してみてほしい。

マスコミの報道で日々批判され、その中で談合などの不祥事は次々と摘発され、ますます世間の見方は厳しくなるばかり。ご家族や友人からも心配されてしまう。その上、現場は命がけの修羅場。一歩間違えれば大きな事故につながってしまう危険と背中合わせだ。

そんな中で住民のためにと立ち上がったプロジェクトの現場の感動のコメントがWEBで公開されている。
http://www.sanpouyoshi.jp/conf2008/fiv-eng.html

この活動は、住民良し、企業良し、行政良しの「三方良しの公共事業改革」として国際的にも高く評価されている。

るとしたら、そこには成長の喜びがある。

本書は、これらのことを学問的にロジカルに解明し、どうやったら現場のモティベーションを上げることができ、イキイキと仕事を進めることができるのかを、実務者とアカデミアの世界の住人の視点の融合[03]によって探求しようという試みである。


プロジェクトを考えるにあたっては、「タスクを行うのはひとである」という当たり前の現実をあらためて虚心に眺める必要がある。

「ひとの問題」は、ややもすれば「大事なのはやっぱりひとだね」のひと言ですまされてきた面がないわけではなく、あるいは「ひとの問題はやっかいだ」と敬遠されたりもしてきた。

本当は「ひとの問題がやっかい」なのではなく、「やっかいだというひとこそやっかい」なのだ。そして、ひとの問題こそが、組織における元気の源泉だと気づいたとき、プロジェクトマネジメントの手法は、タスク面においても、人間的な面においても、一歩前進したことになる。

本書を通じて、多くの読者が過剰管理からの脱出を図れれば、それにまさる喜びはない。

今回の2人のコラボレーションでは、ＰＡＲＴ１、ＰＡＲＴ３は岸良が、Ｐ

03 「実務とアカデミアの融合」が金井ゼミの特徴という。この姿勢がとても気に入ってしまって、今ではすっかりファンになってしまった。このゼミには主題歌まである。ちょっと感動モノだ。

ＡＲＴ２は金井が担当し、ＰＡＲＴ４で著者２人から処方箋をお出しすることにした。また各ＰＡＲＴの中には「ちなみに」というスタイルで、もうひとりの著者の視点を挿入し、さらに脚注まで盛り込むという、バラエティに富んだ紙面構成となっている（脚注はすべて、岸良からのつっこみ、メッセージである）。

なお執筆にあたっては、岸良の暴走しガチな文章を金井の知識でカバーすることによって、明るく楽しい、やりがい・はりあいに満ちた処方箋を開発しようと心がけた。その分、「ごりやく」や「お得な内容」がてんこ盛りになっていると信じたい。

２００９年１月

金井　壽宏
岸良　裕司

過剰管理の処方箋

もくじ

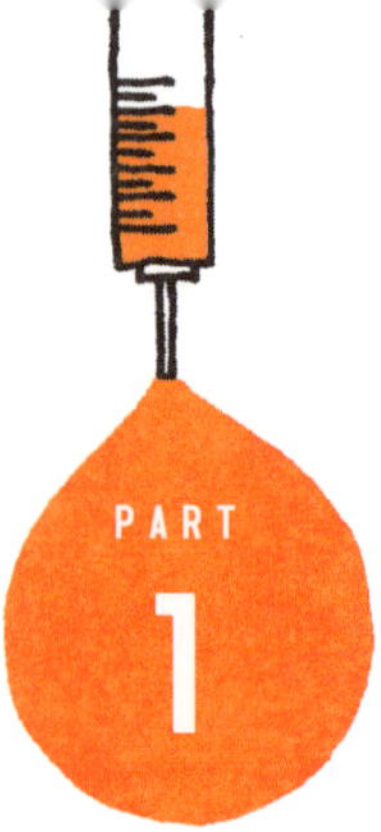

過剰管理の生まれるところ

考察！ひととシステムが融合する「経営管理」

自然にみんながやる気になるマネジメントの方法

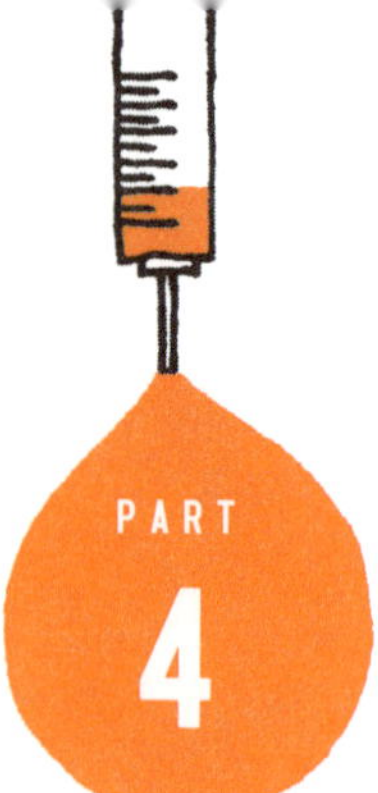

脱！過剰管理宣言

過剰管理の処方箋

殿

PART1

過剰管理の生まれるところ

かんき薬局

1 管理って一体何？

組織と管理の密接な関係

経営管理、方針管理、品質管理、履歴管理、営業管理、数値管理、管理会計、管理職、危機管理、組織管理、管理社会、管理教育、はては管理野球……。

どれをとってもワクワクする語感とは程遠い。

正直いってしまえば、[04]私は管理されるのが大嫌いだ。でも好き嫌いにかかわらず、我々をとりまく日常は管理だらけ。

スピードが要求され、ますます厳しくなる市場の競争環境。仕事の複雑さは増すばかり。そんな中、目標を達成するために、管理はどんどん重要視されるようになっている。

その上、なにか不祥事があれば、同じようなことが起きないように、組織の中では様々な管理がさらに強化される。管理が増えれば増えるほど、仕事がま

04 この本を書くきっかけになったのは、金井先生の「私は管理が嫌い。だから、組織行動論というひとを中心にした研究するようになった」というひと言を聞いてからだ。著名な大学の先生が、本音で管理が嫌いとは、新鮮な驚きとともに、親近感を覚えてしまった。

ちなみに『ザ・ゴール』（ダイヤモンド社　2001年）の著者のエリヤフ・ゴールドラット博士は、「世の中で私ほど『管理』を毛嫌いする人間はいない！」と断言している。

金井先生をゴールドラット博士に紹介させていただいたときに、2人とも会った瞬間に過剰管理嫌いについて意気投合して熱い議論をしていたのはとても印象的だった。

すます窮屈になってしまい、やる気は失われるばかり。

おまけに組織の中には「管理職」というものまである。「管理職」というのは文字どおり「管理」することが期待されている職務。組織あるところに管理あり。それほどまでに組織と管理は切ってもきれない間柄になっているのだ。

そんな毎日のなか、ふと単純な疑問がわいてくる。


「管理って一体なんだろう?」


管理の意味[05]を広辞苑で調べると、「管轄し処理すること。良い状態を保つように処置すること。とりしきること。財産の保存・利用・改良を計ること。事務を経営し、物的設備の維持・管轄をなすこと」とある。

これらをみるとけっして悪いことではない。むしろ、とてもよいことのような気がする。目標達成のためには管理が必要であるということに対して異論を唱えるひとはまずほとんどいないだろう。

5年前と比較しながら、次の質問を考えてみてほしい。

- □ 競争がますます厳しくなっている?
- □ 期限がますます厳しくなっている?
- □ ますます不確実性が増している?

05 「管理」を「マネジメント」といい換えて、言葉だけいじったところで、その本質が変わるわけではない。でも、カタカナを使うとなんかありがたい気がして、カタカナを思わず使ってしまう。
本音のところ、カタカナを使うことで、本質をカモフラージュして、周囲を煙にまいているような気がなんとなくしている。ときどき、罪悪感も感じてしまうのは私だけだろうか……。

□ ますます複雑になってる？
□ ひとりでできることはより少なくなっている？

では、今から5年後はどうだろうか？　これらの傾向はより強くなってくるのではないだろうか？

今も、もちろん実感されていると思うが、競争がますます激しくなり、スピードが厳しく求められるなか、何が起こるかわからない不確実性と闘いながら、しかも、ますます複雑になっていくプロジェクト。それを成功に導くには、社内外の多くの[06]組織を越えた協力、チームワークの和が重要になってきている。

問題はどこにある？

そんななか、次々と開発され産業界に導入される[07]管理手法。どれも極めて魅力的で理論整然と現状の問題点を指摘し、そして解決法を見事に提案している。

しかし、不思議なことに、これら数々の手法を導入して見事に経営を改善させたという[08]事例は[09]驚くほど少なく、むしろ現場の仕事を窮屈にして、事態を悪化させることさえあるとよく聞く。実際、産業界では、たくさんの問題が叫ばれている。

06　「あそこがもうちょっとだけ協力してくれたら、もっとうまくいくのに……」と少しでも感じたことがあるなら、それがサインだ。要するにもうちょっとだけ、協力してもらえれば、プロジェクトはもっとうまくいくということだ。それをこの本では実現していきたい。

07　多くの新しい手法が3文字の英単語で紹介されていることもあり、現場が3文字単語の経営管理手法に強いアレルギーを示すこともあるらしい……それを最近「XYZシンドローム」ともいうらしい。

08　成功事例がマスコミで騒がれるということは、一方で、それだけ成功事例が珍しいということ。成功するのが当たり前なら、ニュース性がないからマスコミも取り扱う必要がない。

09　よくなったという事例は少ないが、窮屈になったとか、能率が落ちたという本音の声はあなたの周りにもたくさんあるのではないだろうか。

経営側からは以下のような問題が聞こえてくる。

- プロジェクトがうまくいかない
- 現場のモティベーションが下がっている
- プロジェクトの成果が必ずしも利益につながらない
- 手遅れになってから問題が上がってくる
- 現場が自律的に動かない

また、現場からも次のような悲鳴が聞こえてくる。

- プロジェクトがうまくいかない
- やる気が出ない
- 仕事ががんじがらめで窮屈
- 会議が多い。報告書、書類が多い
- マネジメントの助けが得られない

よく現場で耳にするのは2つの大きな問題だ。1つは会議や報告書が多すぎるということ。もう1つはコミュニケーションが不足していることである。

膨大な時間を報告書や会議というコミュニケーションのために費やしているにもかかわらず、本当に必要なコミュニケーションが不足しているという。これはとても不思議なことだ。

管理をめぐる対立

管理する側があるとしたら、[10]管理される側があるのは当然のこと。相手の身になって考えることはとても重要なことと我々はいつも[11]教わってきた。

そこで、管理される側の身になって考えてみよう。25ページの広辞苑に書いてある管理の意味を、受け身で記述し直すとどうなるだろうか。

「管轄され処理されること。良い状態を保つように処置されること。とりしきられること。財産の保存・利用・改良を計られること。事務を経営され、物的設備の維持・管轄をなされること」

[12]実に気が滅入ってくる。

「管理」って本当はなんだろう。こんなにイヤな感じがするのにどうして「管理」が必要なんだろう。それを[13]左ページの図で考えてみた。

プロジェクトが成功するためには、ちゃんとアクションを進める必要がある。アクションの進捗を確かめるためには、管理する必要がある。プロジェクトは不確実性がつきもの。何が起こるかわからない。だから管理は必要不可欠なものなのだ。

管理職にとっては、管理そのものが仕事だし、管理するのは当たり前だ。もしも問題が起こって管理が行き届いていないとなると、「一体、おまえの管理

10 「日の当たる所に影がある」というセリフは子どものころ見た大好きなアニメ『忍者サスケ』のテーマソングの最初のセリフ。このセリフは、物事には2つの面があるという貴重な教訓を子ども心に教えてくれたものである。

それ以来、なぜか物事の裏側を考えるとワクワクしてしまう変なクセがついてしまったワタクシである。

11 相手の身になって考える思いやりをもつことは、まさしく日本文化の美徳。お父さん、お母さんから何度教わってきたことだろう。最近その大切さをつくづく実感し、日々反省するワタクシである。

12 受け身にしてこうやって表現したら、ゾーッとするほど気分が悪くなった。管理する側で表現するとまったく違和感がなく、自然でよいことのように思えることが、受け身にするだけでこんなに印象が変わるのは驚きだ。相手の身になって考えることがいかに大切か、痛感してしまう。

13 この図のことをクラウドという。正式名はEvaporating Cloudだが、対立

クラウド

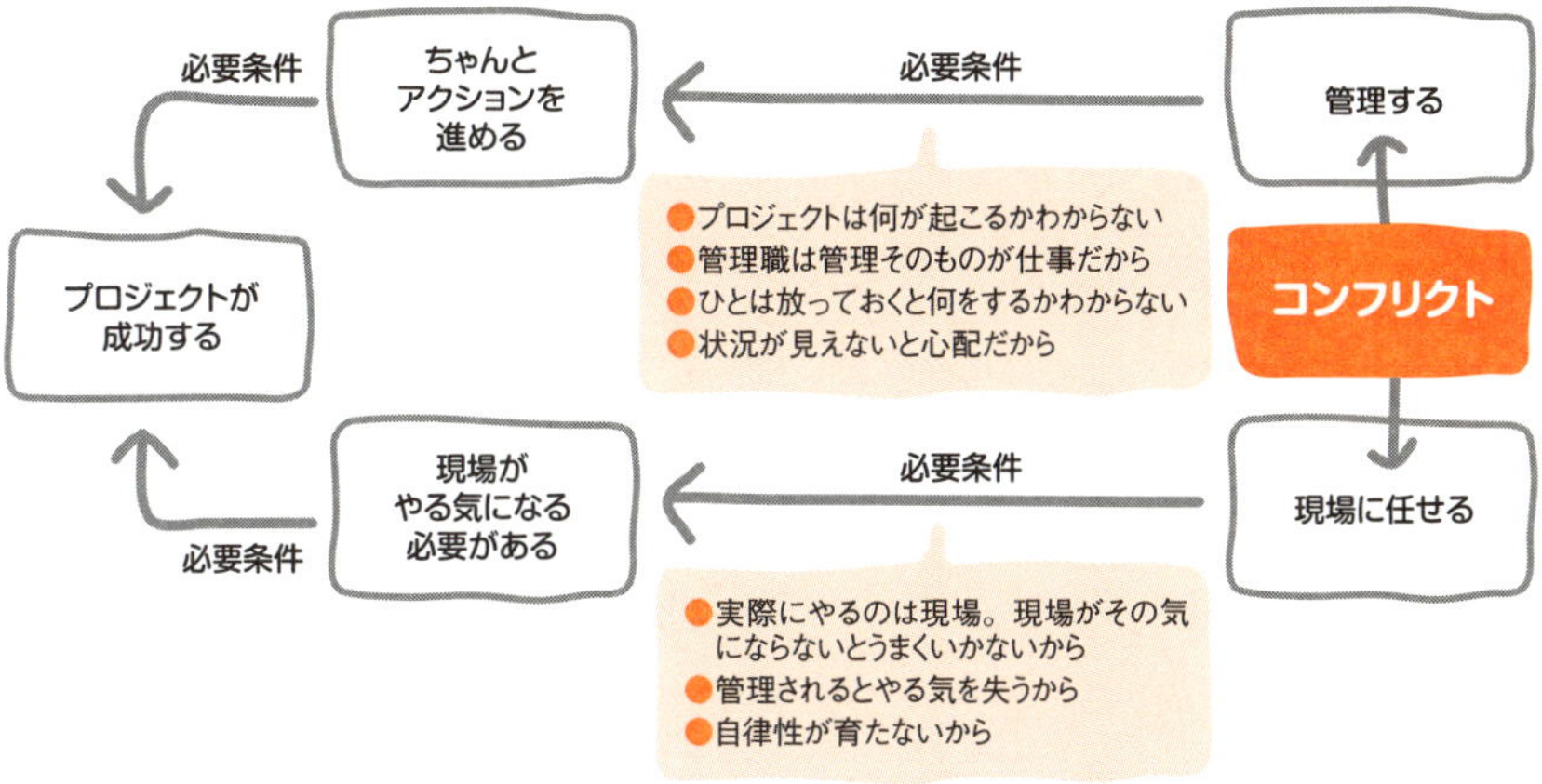

ちゃんとアクションを進める
管理する
必要条件
必要条件
プロジェクトは何が起こるかわからない
管理職は管理そのものが仕事だから
ひとは放っておくと何をするかわからない
状況が見えないと心配だから
プロジェクトが成功する
コンフリクト
現場がやる気になる必要がある
現場に任せる
必要条件
必要条件
実際にやるのは現場。現場がその気にならないとうまくいかないから
管理されるとやる気を失うから
自律性が育たないから

はどうなっているんだぁ！」となってしまう。

プロジェクトチームには若手も多い。しかも、多くのひとがかかわっている。方向性に大きなズレが生じる前に早めに手を打っておきたい。

一方で、プロジェクトが成功するためには、現場がやる気になる必要がある。実際にプロジェクトで仕事をするのは現場のひとたち。現場が管理、管理で締め付けられて、[14]やる気を失ってしまっては、プロジェクトの成功はおぼつかない。

ここで「管理する」と「現場に任せる」という対立が見えてくる。

厳しいプレッシャーのなか、プロジェクトを成功に導くために、

している構造をすっきりと構造化して解決するための便利な道具である。この詳細については『全体最適の問題解決入門』（岸良裕司著　ダイヤモンド社　2008年）のなかで紹介しているので、興味のある方は参考にしてください。この方法を実際に使いながら、この書籍をつくるプロセスで制作に携わった4名が協働しながら、この図を作成した。

ここで明らかになっているのは、一見、対立している「管理する」と「現場に任せる」も、それぞれの本当の隠された思いは、「ちゃんとアクションを進める」という要望と「現場がやる気になる」という要望からきているということだ。これら2つはお互いにわからないでもない要望だ。この隠された要望と共通目標を明らかにすることで、お互いの真の要望も満たす妙案を考え出すのだ。

14　ひとがプロジェクトをやっつける（うまく片づける）ために集まっているのに、集まったひとが、プロジェクトにやっつけられてしまっていることさえある。とても悲しい現実だ。

現場の仕事の進み具合いを「管理する」のは致し方ない。

でも管理される側の現場のやる気はそがれてしまいがち。仕事の質も下がってしまう。すると激しい競争のなか、成功はおぼつかない。一方で「現場に任せる」とアクションがちゃんと進んでいるかとても心配になる。

「管理する」のか「現場に任せる」のか一体どっちにするべきなのだろうか？　松下幸之助氏の数々の名言[15]の中に「任せて任せず」がある。すばらしい含蓄のある言葉であり、マネジメントの要諦を伝えているのではないかということは、なんとなく感じ取れる。

でも、私のような凡人には、「任せて任せず」のさじ加減がいっこうにわからず、実践するのも難しい。

それよりも、失敗するのはいやなので、失敗しないようにちゃんと管理しておきたいし、万一、失敗しても、ちゃんと管理したことのいいわけが立つように、管理した履歴だけは残しておこうと考えてしまう。

なんにしろ、管理の履歴を残す[16]こと自体は悪いことではない。そして気がついてみると、せっせと管理に精を出している自分がいる。

15 『経営のコツここなりと気づいた価値は百万両』（松下幸之助著　PHP文庫　2001年）より。
松下幸之助氏の本はどれを読んでも、いつの間にか気がつくと背筋が伸びてしまっている自分に気づく。到底実践などはできない私でも読むだけで心が洗われる気持がする。本当にすばらしい方だったんだろうなぁー……といつも感動してしまうワタクシである。

16 失敗したときに責められることのないように履歴をせっせとため込んでいくことを、プロジェクトの現場では「アリバイ工作」というらしい。

2 我々をとりまく管理をたどる

管理のわなにはまっていく私たち

日本プロジェクトマネジメント協会のプロジェクトマネジメントの知識体系『新版　P2Mプロジェクト&プログラムマネジメント標準ガイドブック』（日本能率協会マネジメント　2007年）によると、プロジェクトの定義は「プロジェクトとは、特定使命を受けて、資源、状況などの特定条件のもとで、特定期間内に実施する将来に向けた価値事業である」とある。

プロジェクトはその性格上、不確実なものである。もっとカンタンにいえば、プロジェクトでは今までに一度もやったことがないことを行うものだ。当然、[17]不確実性に対する[18]心配のタネはつきない。

そのなかで、プロジェクトの成功を担うプロジェクトリーダーの責任はきわめて重い。何が起こるかわからない心配事だらけのなかで、現場の進捗に気を

17　一番の不確実性って「心変わり」だという話もある。これがお客様ならまだ納得できるが、上司の心変わりに振り回される現場も多いと聞く。
そうです。それをしていたのは私です。ご迷惑をかけてすみませんでした。

18　心配を広辞苑で調べると、「心を配って世話すること。こころづかい。配慮。心にかけて思いわずらうこと。また、不安に思うこと。気がかり。うれえ」とある。「心配」と書くと、不安に思うことになってしまうが、「心配り」と書けば、心を配って世話をすることになる。何が起こるかわからないプロジェクトの現場において、やたら心配ばかりするリーダーよりも、常に現場に心を配って世話をするリーダーの存在こそ必要なのではないだろうか。

もみながら、仕事を進めているのが日常である。

ここで我々をとりまく管理をたどってみたい。「プロジェクトが成功する」ためには、「ちゃんとアクションを進める」必要がある。一方でプロジェクトは何が起こるかわからない。手遅れになる前に「先手管理する」のが肝心だ。

プロジェクトの失敗が続出している状況なら、なおさらプレッシャーはきつくなる。「先進的手法を取り入れて収益もちゃんと数字で『見える化』して管理をしていく必要がある！」などという声があちこちから聞こえてくる。そして詳細な報告が必要とされ、管理のための報告作業は増えていく。

管理がより徹底され、数字で現場がしめつけられると現場の仕事は窮屈になっていく。管理、管理でがんじがらめ。ますます窮屈になった現場では、やる気がなくなり、不測の事態に自律的に対応するゆとりもなくなってくる。となると、プロジェクトの失敗の確率は高まる。

プロジェクトが失敗すると、さらに管理が強化される。「過剰管理はダメだ！　現場のモティベーションを上げる必要がある！」といって、現場に任せることを選んでも、現場が見えないと状況がわからないので心配だし、プロジェクトリーダーは結果に責任がとれない。結果として失敗すると、プロジェクトリーダーは管理責任を問われる。だから、ますますちゃんと[19]管理する必要が出てくる……。

ここで注目すべきは、左ページのフィードバックサイクルだ。

19　管理という名前が最近かなり嫌われてきたからであろう。最近は「見える化」という単語を使うことが好まれている。実際に「見える化」を実施している現場の多くでは、より窮屈になったという話をよく聞く。響きはやわらかいが、実態はより厳しいらしい。

管理のわなにはまっていく私たち

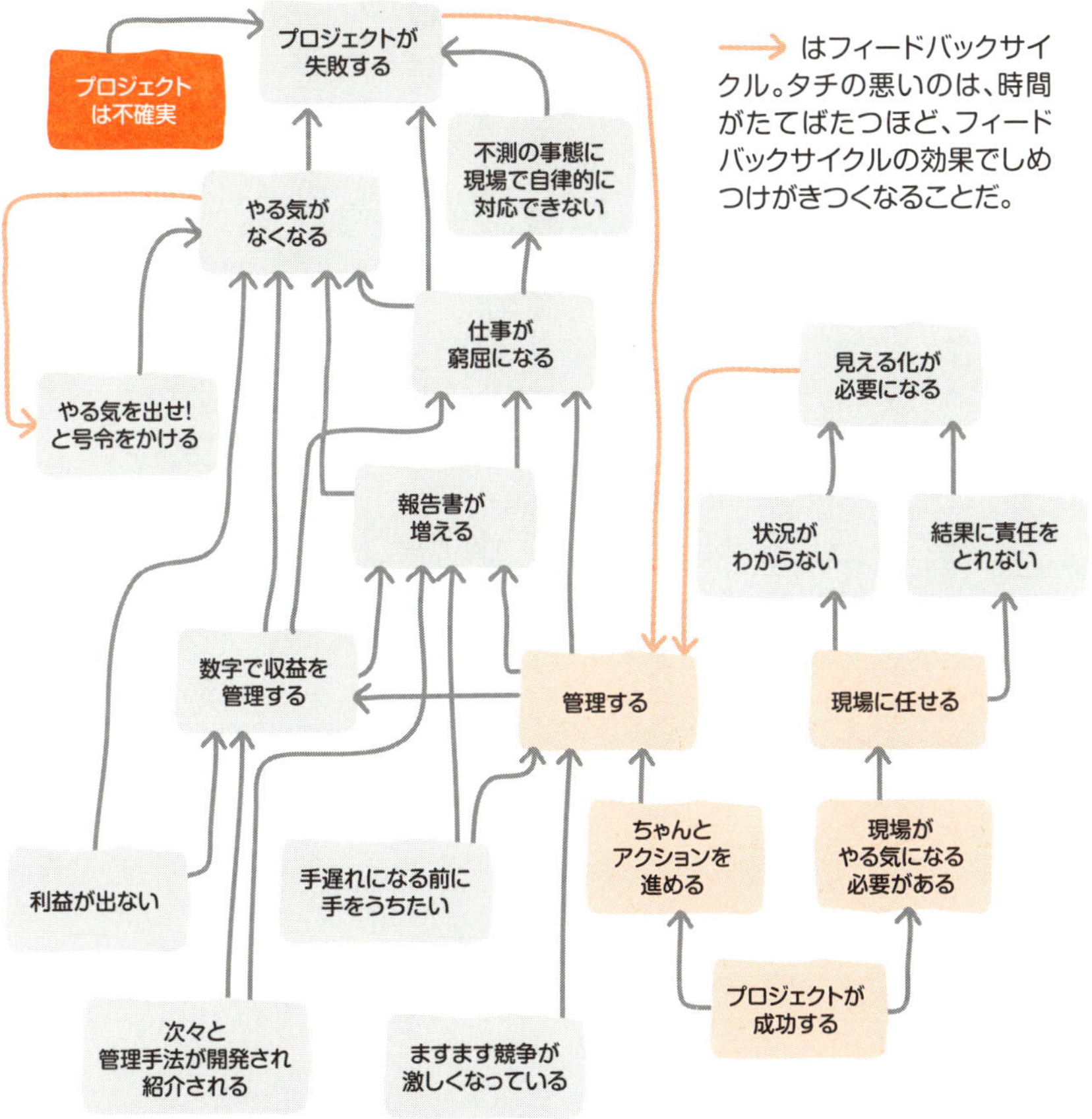
プロジェクトは不確実
プロジェクトが失敗する
不測の事態に現場で自律的に対応できない
やる気がなくなる
やる気を出せ!と号令をかける
仕事が窮屈になる
見える化が必要になる
報告書が増える
状況がわからない
結果に責任をとれない
数字で収益を管理する
管理する
現場に任せる
ちゃんとアクションを進める
現場がやる気になる必要がある
利益が出ない
手遅れになる前に手をうちたい
プロジェクトが成功する
次々と管理手法が開発され紹介される
ますます競争が激しくなっている

→はフィードバックサイクル。タチの悪いのは、時間がたてばたつほど、フィードバックサイクルの効果でしめつけがきつくなることだ。

失敗すると管理がますます強化され、現場が窮屈になり、そんな状態のなかで、上からは「やる気を出せ！」とハッパをかけられることになる。

「よかれと思って」が大きなお世話

ここで質問をしたい。「やる気を出せっ！」といわれて、あなたはやる気になるだろうか？　私の場合は、むしろ[20]やる気が萎えてくる。本音は大きなお世話、むしろ、うっとうしくさえ感じる。

でも、やる気が萎えている人間に「やる気を出せっ！」って声をかけてあげたくなるのも事実。別に悪気があるわけではない。むしろ、その正反対だ。「やる気」がとても大切なものであるのはみんなわかっている。だから、「よかれと思って」あなたに「やる気」の重要性を語りかける。

しかし、膨大な管理作業でますます窮屈になる現場では、「やる気」は萎えるばかり。この管理も元はといえば、不確実性の高いプロジェクトの中で、みんなを成功に導くために「よかれと思って」導入されたものだ。

成功を望まないプロジェクトメンバーはいない。「よかれと思って」導入された数々の管理手法の数々が、かえって現場を苦しめる。とても不思議な現象だ。

20　「そんなことはわかっている」っていい返したくなるけど、ナカナカいい返せないところがつらいところ。でも、さらに何度も「やる気を出せっ！」っていわれると、ムショーに腹がたってくるのはワタクシだけだろうか。

心配菌

ひとの心に住むといわれている常在菌の一種。普段はリスクを前もって予測し、ひとに常に心配りを促す、プロジェクトの成功には欠かすことができない頼もしい存在といわれている。
しかし、プロジェクトの失敗が続くと、これ以上失敗を重ねないように過剰に増殖し、「心配菌が暴れだす」行動をとることが知られている。心配菌が暴れだすと、ひとは心配ばかりするようになる。さらに、失敗を恐れるあまり、失敗しないように、管理を徹底するようになる。
それでも失敗が続くと、さらに心配菌は異常増殖を繰り返し、ついには過剰心配菌に変異してしまう。この状況になると、心配することそのものに喜びを見い出すように脳に信号を送りつづけるために、それに侵されてしまったひとは心配し、管理することそのものに喜びを見い出す「管理中毒」となってしまうので注意が必要である。

ちなみに

心配はどこから来る？

ひとを動かす動機づけ要因には、２つの系列がある。

１つは心配や不安、未達成感、危機感、ハングリー精神など「このままではえらいことだ」という系列。私はこれらを「緊張系」と呼んでいる。

もう１つは、がんばったらうまくいくという見通しや、達成感、成長感、自己実現あるいは夢やロマンなど。これらは「希望系」といい表せる。

実は、心配と希望はいずれも脳の同じ部分、前頭葉がつかさどっている。前頭葉は人類の脳だけに発達した特徴的な部分だが、長い間、何の役に立っているのかよくわかっていなかった。前頭葉を損傷したひとでも、一見支障なく日常生活が送れたりするからだ。

前頭葉の重要な役割がわかったのは、その一部を損傷したひとは、心配や不安から解消される場合もあるけれど、将来への計画が立てられなくなることもあるからだった。つまり緊張系が働くからこそ、私たちはリスクを予測し、計画を立てる。そして先行きがはっきりとは見えなくても、見通しは明るいと信じられれば、希望系がやる気につながってくる。その意味では、「緊張系」と「希望系」はペアだし、両者の橋渡しとなる概念を、ハーバード大学のダニエル・ギルバートにならえば、「のちのち（later）」という言葉に見い出せる。心配も計画もそして希望も、ひとがのちのちについて考えるから生まれる。

心理学で扱う様々なテーマを、ひとの進化という面から解明する試みを進化心理学という。その考え方に立つと、緊張系のほうが希望系よりもひとの生存により深くかかわってくるだけに、本能レベルに近いともいえる。「心配菌が作用するからこそ管理が始まる」という岸良さんの意見もこの点に符合する。

人間は直立歩行し出して手先が器用になり、火を使い、道具を編み出し、さらには言語までもつようになっても、相変わらず、そう強くない。森でクマに出会ったら「怖い」と感じ、心配したり緊張して逃げ出すか、仮死状態になるほうが生き延びる確率は高い。そう考えると、心配症でマイナス思考のひと（生物）ほど、生存確率は高いということになる。

いい親もいい先生もいい管理職も、だいたいは心配菌にやられて心配症になっている。ただし、もともと心配菌は私たちの生存率を高めるためにやってきた〝救いのヒーロー〟でもあった。私も、学者をめざす大学院生には「心配症の学生のほうが、安心できるいい論文を書く」と話す。クマに出会っても大丈夫、引用やデータ分析の1つや2つまちがっても大丈夫という人間は、それぞれ、[21]ジャングルで、学会で、うまく生きていけないだろう。

21　会社のオフィスを見渡すと、なんとなくジャングルに見えてくることもある。周りに動物のあだ名をもつ人が多いのも不思議なこと。ジャングルのなかで生き残るという考えは現代にも当てはまるのかもしれない。

部分最適と全体最適

さて、あなたをとりまく日常でも、たくさんの管理が行われていると思う。目標管理、原価管理、出来高管理などなど、それらの手法は「部分最適」を加速するだろうか？　「全体最適」を加速するだろうか？

ますますチームワークの和が必要になってきている時代に、現在、現場に導入されている多くの管理手法が全体最適を加速するどころか、むしろ、チームワークを阻害し、協力しあう現場の気持ちを萎えさせていないだろうか？

全体最適でマネジメントしたくない経営者はおそらくいないはずだ。そして、現場でもそれは同じである。なのに、どこかでねじれて、部分最適がはびこってしまう。それをこれから議論していきたい。

ちなみに

TOSHIHIRO

空間軸で考えてみよう

ここまでは時間軸で見てきたので、空間軸で管理のなされる対象の広がり、広く捉えているのか、狭くとらえているのかを考えてみよう。

すぐれた経営者のなかには、係長よりは課長、課長よりは部長、部長よりは事業部長、さらに役員のほうが視点が高く、視野が広いことが大事になってくると強調するひとが多い。そうでないと経営幹部としてうまく育っていないことになる。

つまり、部長は課長よりもポジションが高いだけでなく、より広く全体を見て、それを最適化できるかが問われるということだ。よくいわれる「部分最適」と「全体最適」という対比は、ここを照射している。

3 管理と目標達成のひと筋縄ではいかない関係

管理のわな

不確実でますます複雑になるプロジェクト活動を全体視野で把握し、適切に手を打つために様々な管理手法が提唱され、導入されている。

しかし、導入に成功はしたものの、目覚しい成功を納めた事例は極めて少ないのが現実。それはなぜだろう。

ここで、以下の事項について検証をしてみたい。

「プロジェクトを達成する」ためには「管理をする」必要がある。

たしかにそのとおりであろう。管理なしで、プロジェクトを進めるのは危険であり、成功はおぼつかない。これは常識的なことである。

では、再度、次のロジックを検証してみたい。

「管理をする」と「プロジェクトが成功する」

管理をすればプロジェクトは成功する?

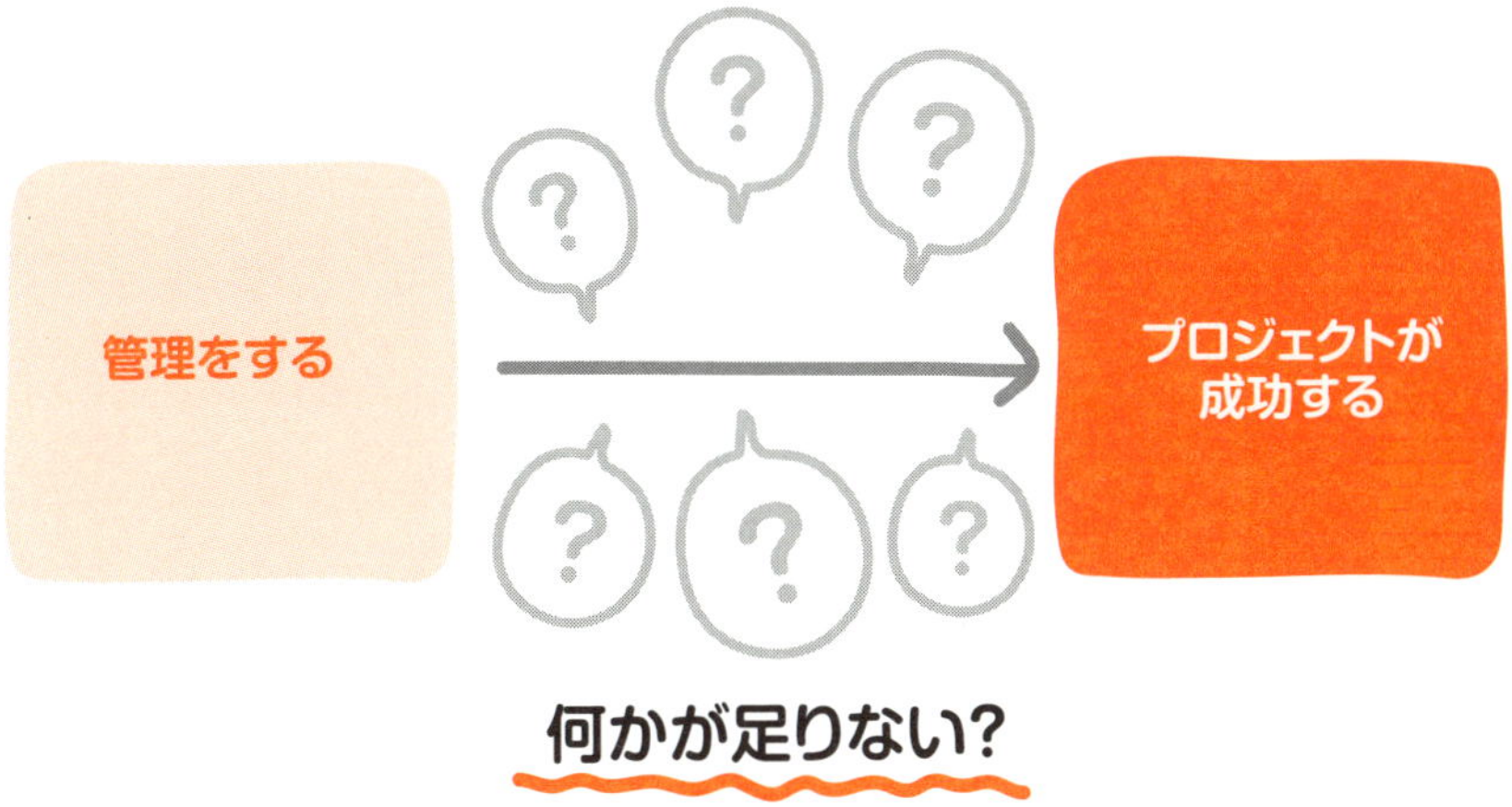
管理をする
プロジェクトが
成功する
何かが足りない?

これは、どうも不十分な気がする。管理をしても、プロジェクトが成功するとは限らない。つまり、「管理をする」ということは、プロジェクトが成功するための必要条件ではあるけれど、十分条件ではないのだ。

さて再度33ページの図を見てほしい。ほとんどのことが、「よかれと思って」現場に導入されている。

しかし、それが現場をがんじがらめにして、かえって現場を苦しめる。やる気が萎え、より窮屈になった現場で、さらに失敗プロジェクトを撲滅させるための最先端手法が導入される。その手法は以下のように主張する。

- より精度を上げるために詳細に

管理する必要がある
● より頻度を上げて詳細に管理する必要がある
● 数字で進捗管理をする必要がある

先の主張はまったく間違っていない。たしかにそのとおり。

管理をしているからといってプロジェクトが成功するとは限らない。これは当たり前のことだ。でも失敗が続くプロジェクトのなかで、「[22]管理さえすればプロジェクトが成功すると思っているんですか!」と上司に主張できるだろうか?

「管理をする」ことは「プロジェクトが成功する」ための「必要条件」であるということを再度考えてみたい。あなたはより管理されたら、より厳しく管理されたら、プロジェクトの成功に向かってよりやる気になるだろうか?

私の場合、より厳しく管理されると、よりやる気を失う。「いわれたとおりにやってりゃーいいんだろ!」と面従腹背、表面だけつくろって、仕事に取り組むようになる。「管理はダメ」だと上司にいっても聞いてくれるわけがない。

失敗プロジェクトが続けば、ますます状況は厳しくなる。現場への締め付けは激しくなり、作業は肉体的にも、精神的にもきつくなる。

プロジェクトを成功させるために行われるはずの「管理」。しかも「よかれと思って」導入する「管理」そのものに実は[23]落とし穴があるのだ。

22 このセンテンスはまるで喧嘩を売っているようだが、冷静に読んでみるとけっしてそうではなく、むしろ常識的なことをいっているのである。常識的なことが通用しない現実がとても悲しい。

23 管理を導入する場合、自分がもしもその方法で管理〝されたら〟という受け身で表現して検証してみるのがよいと思う。「相手の立場になって」とか「思いやりをもって」といわれる我々の文化に深く根ざした価値観を現場のマネジメントに取り戻すよい機会になると思うのだ。

そして止まらない精神論

こんな状況がいつまでも続くと、決まって起こるのが経営改革活動である。[24]「利益を向上させよう！」「人材育成が何より重要！」「やりがい・はりあいが重要」「組織における信頼が何にもまさって重要だ」「納期短縮をしよう。品質を向上させよう！」「先手管理が重要だ！」「経験と技術の伝承が課題だ！」「集中力！」「優先順位をつけろ！」「見える化して業務改善するぞ！」「早め早めの報・連・相が重要！」……。

いわれてみれば全部ごもっとも。返す言葉もないほど、当たり前で当然なことばかりだ。でも、これらの号令をずっと続けていくと現場はだんだんシラけてきたりもする。そういう状態が続くと、経営者は現場に対して「経営者意識をもて！」「みんな、意識改革だ！」と、さらに号令をかけるようになる。

経営者意識をもつことの重要性は誰しもわかっている。なら10回「経営者意識をもとう！」と唱えてみてほしい。経営者意識をもてただろうか？　変わらない？　じゃあ、あと100回唱えてみよう。今度はどうだろうか？

経営者意識をもつのは、経営者なら当たり前、現場にとっても大切なことに違いないが、これだけ口すっぱくいってもなぜか実践は難しい。「ウチの会社って精神論が多くって」と居酒屋で語りあってしまうことも少なくないのだ。

24　この言葉をみんなの前で唱え続けていると、みんなの顔がなぜか暗くなってくるのが不思議だ。何か苦いものを食べたような表情になってしまう。うーん。元気を出してほしくっていっているのに、まるで逆効果だ。なぜなんだろう……。

ちなみに

TOSHIHIRO

洗脳経営ってあるの？

精神論を聞かされるのは誰でもいやなものだが、一方でひとは集団圧力に弱く、周囲の影響を受けやすい存在でもある。私のMIT（マサチューセッツ工科大学）時代の師エドガー・H・シャインは、組織文化の研究に至る出発点として、朝鮮戦争のとき中国の捕虜になった米軍兵士たちを調査した。

この研究を通じて明らかになったメカニズムが「強制的説得」であり、今でいう洗脳に当たる。

洗脳と聞くとたしかに怖い。企業で行われている実例でも、全員が泣くまで声出しをやらせるような新人研修には、気味の悪さだけでなく、危険の要素が垣間見える。

だが、企業の側に創業以来の経営理念や、環境がどう変わろうとも貫きたい原理原則があって、メンバーもそれに自信をもっていたら、新しく入ってくるひとにも伝えたいと考えるはずだ。事実、シャイン先生がその後、興味をもったGE（ゼネラル・エレクトリック）の研修所は、その名も「GEインドクトリネーション・センター」（当時）だったそうだ。インドクトリネーション（indoctrination）とはイデオロギーの注入を意味する。

最近の事例に関心がある読者がいたら、わが友ギデオン・クンダ氏による『洗脳するマネジメント――企業文化を操作せよ』（樫村志保訳　日経BP社　2005年）も参考にされたい。

企業の経営理念や原理原則が有効に働くかどうかは、その内容を体現する生きた見本が社内にどれだけ存在するかにかかっている。理念の中には、経営者自身がぶれないために自戒として掲げるものもあるし、原理原則を重んじる会社ほど、「自分の頭で考えること」に類する文言をその中に盛り込んでいる。

岸良さんのいうとおり、やたらと「経営者意識をもて！」とはっぱをかけられるとうっとうしいけれど、黄金律のように自明のことは、繰り返し聞くうちに体に染み込んで、漢方薬みたいに効いてくる。内容が曖昧であっても、いや曖昧であればこそ、[25]聞く側が自分の頭を使って考えるきっかけになるのであれば、あながち無意味とはいえない。

反対に、本当に中身のない精神論の代表例を挙げるとしたら、「自発的にやれ」だ。「自発的に」と「やれ」は明らかに矛盾する。「変われ」もパラドキシカル（逆説的）で、いつもそう繰り返す上司がいたら、そのひとが一番変わっていない。

25　聞く側が自分の頭を使って考えるきっかけを与えるのにベストの方法は、「質問」ではないだろうか。「質問」は聞く側が自分の頭を使って考えなければ回答は得られない。だから、「質問」というのはパワフルなのだ。このへんのことについては後でくわしく議論することにしたい。

プロジェクトはひとが行うもの

今、進めているプロジェクトの工程表をじっくり見てほしい。それぞれの作業を行うのはコンピュータだろうか？　それとも技術だろうか？

いいや、「ひと」である。それは現場に行けばより明確である。ますます複雑化し、変化し続けるお客様の要求にさらされながらも、プロジェクトを進めているのは間違いなく人間である。プロジェクトはひとが中心なのだ。

しかし、「ひとが中心」という言葉にはなぜかむなしさがつきまとう。誰が見たって、ひとが中心なのは当たり前で今さらいうまでもないことである。

しかし、ひとを本当に中心に見据えたプロジェクトマネジメント手法はあまり見当たらない。世の中にある様々な管理手法には、なぜかひとの要素は希薄に思える。

世の中にある自己啓発の本の数々はとても勉強になるし、心に響くものがある。でも、それを実践するとなると、理解することと実践することのギャップの大きさ、そして現実の世界をとりまくしがらみにひるんでしまう。むしろ、数式がならんで、現場のパフォーマンスを数字で管理できる手法のほうが、科学的で洗練された高度な印象さえある。

組織行動論って？

組織行動論は「組織の中の人間行動（human behavior in organization）」を研究する学問で、OBと略される。モティベーション、キャリア、リーダーシップ、組織文化など目に見えにくいものを扱うため、神戸大学の同僚にいわせると、「ふわふわしたつかみどころのない領域」だそうだ。なるほどそのとおりだ。

組織行動論を学ぶ大きな意味は、「私」がわかること。モティベーションを学んだおかげで管理職として周囲のやる気にうまく訴えることができた、リーダーシップについての持論がもてたと教え子から聞くとうれしい。経営学の他の授業では、お金や市場占有率などにまつわるしんどい話や、戦争の喩えを使った勝ち負けの話が多いのに対し、組織行動論では、ともに何かを成し遂げるチームでの協働やひとの成長が語られる。そう考えると、できればとっておいたほうがいいビタミンのような学問だとも思う。MBAで教える組織行動論のトピックスや理論を概観されたいなら、『組織行動の考え方』（金井壽宏・高橋潔著　東洋経済新報社　2004年）を参照いただきたい。

4

「見える化」が管理にもたらす功罪

必要条件は満たしても十分条件は……

プロジェクトの失敗が続くと、「見える化」の名のもとで、多くの管理手法が導入されるようになる。経営トップまで「見える化」することで、問題が大きくなる前に把握して、未然に解決しようというものだ。それらの手法はリアルタイムに状況が把握できることをウリモノにしている場合も多くある。

しかし「見える化」によって本来の意図とは裏腹に、日々の進捗や実績、予算と実績の比較、稼働率などについての煩雑な管理作業が増えて、むしろ肝心の仕事に集中することができなくなってしまったという話さえ聞く。

それらの手法の多くが「見える化」しているのは、現場の状況ではなく、[26]現場で起こった結果であることが多い。

日々の進捗も、予算と実績の比較も、現場の稼働率も、日々の実績も、それ

26 結果を見て管理すること。それは結果で云々いわれることに他ならない。一般的にこれを「結果主義」という。「結果主義」がよい管理手法といわれたことは聞いたことがない。むしろ「結果」で文句をいわれると腹が立つだけだ。

結果だけを見える化しても
プロジェクトが成功するとは限らない

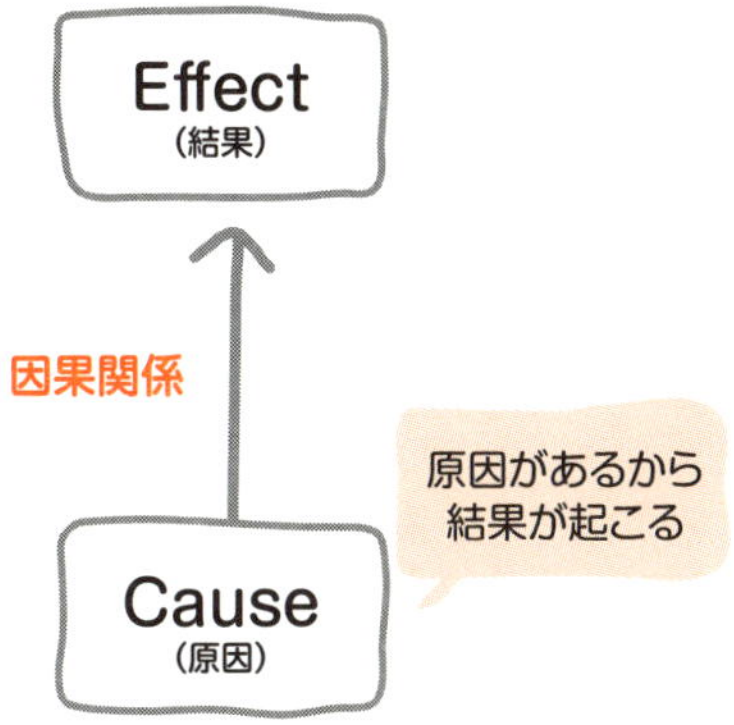
Effect
(結果)
因果関係
原因があるから
結果が起こる
Cause
(原因)

までつくられたプロジェクトの付加価値も、すべて実は現場で起こった結果である。結果が出ているということは、それはすでに過去のことである。

毎日、結果が把握できるのは悪いことではない。月ごとでしか把握できないより、はるかによいことだ。

しかし、日々の実績を把握したからといってプロジェクトが成功するとは限らない。必要条件は満たしているけれど、十分条件は必ずしも満たしていないのだ。

ちなみに

TOSHIHIRO

見える化

島田晴雄先生（千葉商科大学学長）がMITにいらっしゃった1986年、MBAの講演会で日本型経営システムについて、こんなたとえ話をされた。

船が湖を航行するとき、水位が十分に高ければ、船長は安心して舵取りをし、船員たちも安心して業務につける。それがアメリカ型の経営のあり方だとしたら、日本型の経営スタイルでは、（湖の水を抜く栓があるわけではないが）あえて湖水の水位を思い切って下げて、あるいは、船が航行できるぎりぎりぐらいの水位の湖を選んで、浅瀬に乗り上げたり岩礁にぶつかったりするのを避けながら、船長以下みんなが緊張感をもって前に進んでいく。

この喩えは、問題（浅瀬や岩礁）を「見える化」して早めに回避することをめざす日本のメーカーの生産の仕組みをイメージしたものだ。湖の水位は、たとえば部品在庫や中間在庫の量を表している。そこにスラック（余裕）が多ければ、生産時に何か問題があっても安心していられる。作業者は不良品や故障をあまり気にする必要はなく、またその原因を苦労して探そうとはしない。しかし、スラックとは、余裕を意味すると同時に、放漫さ、ムダも意味する。

逆に、部品在庫や中間在庫を極小に抑えれば、緊張感は増すが、その分みんなが考えるし、注意力、判断力は増し、現場レベルで即座に対応が起こる。問題が起きたら生産を中断しなくてはならない。欠陥や故障の原因を早く突き止めて解決しなくてはならないし、再びそうならないように努力する。あるいは問題を未然に防ぐための予防措置も講じるかもしれない。そうなると製品の品質も向上する。このことにかかわる議論は、島田先生の著書『ヒューマンウェアの経済学』（岩波書店　1988年）にも出ている。

私がこの講演で感銘を受けたのは、日本型経営がアメリカでもてはやされていた時代に、島田先生がこの話を通じて、日本型経営のよい面とたいへんな面を両方語っていらっしゃったことだ。

たしかに部品や原材料の在庫をぎりぎりまで減らし、それでなおかつ品質などを維持するのは、浅瀬や岩礁にぶつからないように神経をぴりぴりさせながら船を航行させるのと同様、相当きつい。

昨今の「見える化」にもそういう面があり、すべてが見えることは危険回避にはよいかもしれないが、働くひとにとっては過酷な労働環境でもある。「見える化」を推し進めた結果、ストリップショー工場ができてしまったとして、果たしてそれが従業員にとってよい工場だといえるだろうか。

脳みそを現場にもってくる自律分散型マネジメント

当たり前のことだが、結果はプロセスでつくられる。だから、品質管理では源流管理といって、プロセスをたどって管理することで、よい品質をつくりこもうという手法をとる。よい結果を出すためにはプロセス管理が重要なのは当然だ。つまり見える化すべきはプロセスであって、結果ではない。

世界に冠たる品質をつくり上げた日本の先達の数々の著作を見ると、現場の自律が重要と説く。同じものを大量生産する現場でも現場は生き物。日々同じ状態はない、刻々と変わる現場を運営するには、自律分散的な経営が必要とある。

中でも大野耐一氏の著作『トヨタ生産方式』（ダイヤモンド社　1976年）では、「ますます図体の大きい企業体にどうしたら自律神経をとりつけられるかに思いをめぐらせる」とある。熱いものに触ったら、脳みそに信号が行くまで動かないのではやけどしてしまう。熱いという情報が脳みそに行く前に反射的に、それを離すのが人間だ。そういう自律的なマネジメントをすることを重視し、「[27]カンバン」を考えたと大野氏は[28]語っている。

要するに、企業体の脳みそである経営幹部に信号が行ってから判断するのでは遅すぎるということだ。組織の図体が大きくなればなるほど、むしろ、経営

27 「カンバン」という言葉は、外国のひとにその意味がわかならいように名付けたと大野氏は語っている。

28 「大野耐一のモノづくりの真髄」（日本経営合理化協会　2004年）というCDが出ている。大野耐一氏の生の声の講演が聞ける。思わず背筋がピンと伸びてくるすばらしい講演だ。

幹部に行く前に現場で自律的に判断することが求められる。これを「自律分散型のマネジメント」といったりするが、いうのはたやすいが実際にやるのは難しい。自律分散型のマネジメントを行うということは、組織の末端にまで、経営者と変わらない判断基準を植えつけるということに他ならない。一人ひとりに経営者と同じような全体最適の[29]判断基準を求める。それは限られた責任範囲しかもっていない現場の一人ひとりに、全体レベルの広い視野での判断を求めるということだ。

つまり、一般的な「見える化」が、現場で起こっている情報を上の脳みそにもっていく方法を取るのに対して、自律分散型のマネジメントでは脳みそを現場にもってくることが求められる。

何が起こるかわからない現場において、経営者と変わらない判断基準をもってもらい、そして自律的にマネジメントを実践するのだ。

これはたしかに理想的だが、豊かな経験と実績に支えられた経営者と必ずしも経験の豊かでない現場とが、変わらない判断基準を持つということは、まともに考えれば、きわめて難しいのはおわかりになると思う。

同じものをつくり続ける生産工場ならまだしも、同じものは二度とないプロジェクトにおいて、それは可能なのかというと、「やっぱりひとの育成しかないな……」と、今度は[30]ひとの育成論にすり代わってしまうことも少なくない。

[29] 「経営者意識をもて！」というのは、実は一人ひとりの経営者と変わらない判断基準を求めているということ。「経営者意識をもてるくらいなら、とっくに自分が経営者になっているのに……それができないからサラリーマンをやってるんだけど……」とムチャな要求だなぁー思っていたが、いい続けられると自分でいろいろ考えるようになるのも事実。いつの間にか、金井先生と本まで書けるようになってしまったのだから、効果がないとはいえないかもしれない。

[30] ひとの教育が悪いといっているわけではない。もちろん、これは必要だ。でも必ずしも十分条件を満たしているわけではないということが問題なのだ。

5 プロジェクトの3段階とモティベーション

やる気、やりがい、はりあいがなくなっていく

プロジェクトには、「計画段階」「実行段階」「ふりかえり段階」がある。

まず計画段階では、プロジェクトメンバーがやる気になる計画が必要である。しかし現実には、納得できない無茶な納期を押し付けられ、しかも厳しい予算で、ひとも足りず、おしきせのスコープと格闘しながら、煩雑な計画作業にまみれて、やる気はどんどん萎えてくる。

次に実行段階では、メンバーはやりがいをもちながら、毎日の仕事を進めたいものである。しかし現実には、次から次へと現れる予期せぬ問題に翻弄され、膨れ上がるスコープに苦しみ、さらに煩雑な報告作業まみれになって、会議、会議、会議の連続で、日々の精神論の指導に言葉を失って、やりがいはどんどん失せていく。

プロジェクトの3つの段階

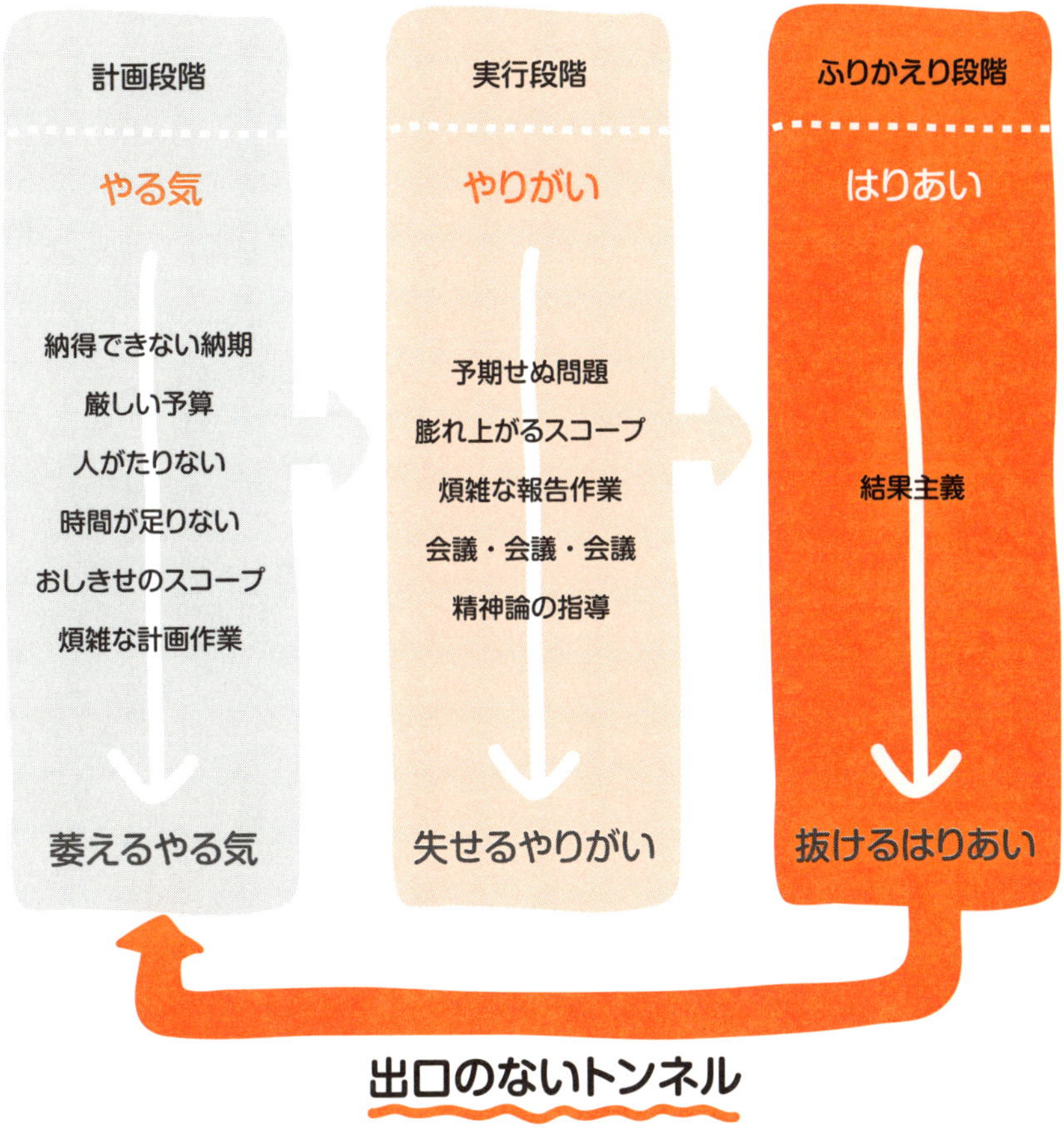
計画段階
やる気
納得できない納期
厳しい予算
人がたりない
時間が足りない
おしきせのスコープ
煩雑な計画作業
萎えるやる気
実行段階
やりがい
予期せぬ問題
膨れ上がるスコープ
煩雑な報告作業
会議・会議・会議
精神論の指導
失せるやりがい
ふりかえり段階
はりあい
結果主義
抜けるはりあい
出口のないトンネル

プロジェクトが終了すると、メンバーみんなでプロジェクトをふりかえり「やったー!」という気持ちで、「はりあい」を感じ、やり遂げた実感をみんなでわかち合いたいものだ。しかし、現実の「反省会[31]」では、結果主義で反省[32]を求められ、メンバーからは、はりあいがどんどん抜けていく。

そうして休む間もなく、次のプロジェクトにメンバーは割り当てられていく。それはまるで出口のないトンネルのようだ。そしてそのトンネルには、管理、管理がぎっしりつまっている。

この現実を変え、「やる気」と[33]「やりがい」と「はりあい」に満ちたプロジェクトにする方法はないだろうか?

次章で金井先生に経営管理をめぐる「ひとの問題」と「システムの問題」について考察してもらったうえで、処方箋を考えていきたい。

ちなみに

TOSHIHIRO

やる気が慢性的にくじかれるのはなぜ?

心理学者マーティン・セリグマンは、イヌに電気ショックを繰り返し与え、回避行動を観察する実験をしていて、あることに気づいた。何度もショックを与えていると、やがてイヌが反応しなくなったのだ。

他の学者は「困ったな、実験が続けられない」と思っただけだったが、感

31 「反省会」という響きがよくない。これだけでも、メンバーは反省を求められている気がする。世界に冠たる日本のQCサークル活動では、批評は、「よいところ」を2つ、「欲をいえば」を1つと教えている。ほめて伸ばすというすばらしい姿勢だ。でも、反省会自体、悪いところを批判するような語感があり、それに出るだけでも、やる気が萎えてしまうのはワタシだけだろうか?

32 反省を求められることを、現場では一般的に「つるし上げられる」というらしい。万一うまくいっていても反省は必要だし、うまくいっていなければ、間違いなく、強い反省が求められる(つるし上げられる)。反省会という名前はナカナカに自虐的な響きがあるように思えるのだが、いかがだろうか?

33 広辞苑を見ると、「やりがい」は「するだけの値うち」、「はりあい」は「(力をつくした)かいがあると感ずる気持」とある。

受性のいいセリグマンは別のことを考えた。——何をやっても思いどおりにいかないと、イヌでもやる気を失う。人間はなおさらで、がんばっても成果があがらない、または成果をあげているのに反省会で締め上げられるといった経験を繰り返していると、どんなにやる気のあるひとでも、無力感を学習してしまう。

セリグマンはこれを「学習性無力感」もしくは「(生得的ではなく、経験から）学習してしまった無力感」（learned helplessness）と名付けた。36ページで述べた「緊張系」すら働かなくなった状態といい換えてもいい。

しかし、学習された無力感だから、学習すれば変わるというのが救いだ。そのことを示しているのが有名な「カマスの実験」だろう。本当に誰かが実験したわけではないだろうから、小咄、寓話と思って聞いていただくのがいい。

カマスを入れた水槽を透明なガラスで仕切り、カマスのいないほうにエサを入れる。最初、カマスはガラスをコンコンとつつくが、何度かやるうちに、どうせ食べられないとあきらめて、ガラスをつつくのをやめてしまう。ガラスを取り外しても、もうエサに近づこうとはしない。ここまでは、セリグマンのかわいそうなイヌと同じだ。

この状態を変えるには、ガラスを知らない別のカマスを水槽に入れればいい。当然その一匹はエサを見るなり食いつく。すると、ガラスによって無力感を学習させられていた他のカマスたちも、なんだ、食べられるじゃないかとエサに食いつき始める。

　神戸大学での先輩で同僚の加護野忠男教授は、企業の部長クラスの研修でこのネタを使われるとき、「このガラス板に相当するものが会社では何なのか想像してみてください」と受講生に問いかける。答えはいわずもがなだろう。

　セリグマンのイヌも、ガラスの存在を知ってしまった（なくなってもそれがあると思ってしまった）カマスも、ともに元から無力だったのではなく、無力であるように学んでしまった。

　電気ショックから逃げてもまた電気ショックがくるという状態、エサがあるのにガラスに阻まれてありつけない状態が続けば、そういう出来事や経験から、ひとはもう自分の環境は自分では変えられないと学習してしまうのであった。

　この無力感と鬱を研究していたセリグマンが、今や楽観主義、幸せ、希望など、前向きなテーマに取り組む「ポジティブ心理学」運動の旗手となっている。興味深いことだ。これに呼応して、経営学でもミシガン大学とネブラスカ大学から「ポジティブ組織行動論」運動が始まっている。神戸大学では、日本でもこの動きを活発にするため、「人勢塾」をスタートさせる。

過剰管理の処方箋

殿

PART2

考察!
ひととシステムが
融合する
「経営管理」

かんき薬局

1 みんな管理は大嫌い

「マネージする」と「リードする」

ＰＡＲＴ１でちらっと述べたように、私の専門は組織行動論だが、学部での担当科目は「経営管理論」と銘打ってある。私個人としては、いっそ組織行動論に変えたほうがいいかなと思っている（ＭＢＡのクラスではそうした）のだけれど、経営管理論は神戸大学にとっては〝伝統科目〟でもあるため、そう簡単に看板を掛け替えるわけにはいかない。また、経営という言葉には、「構想力」というポジティブな意味合いもあるので、経営と管理をつきあわせて「経営管理」というのであれば、単に「管理」と聞くよりはましかもしれない。

だが、それにしても管理という言葉は語感がよろしくない。学生や実務家に管理のイメージを聞くと、色では「灰色」、形は「四角」、形容詞は「固い」、四文字熟語は「管理野球」「管理教育」「管理社会」などが挙がる。「窒息するようだ」「無理やりやらせているようだ」「鋳型にはめるみたい」といったネガティブな連想もどんどん出てくる。

企業の管理職を集めた研修の場で、私が「管理という言葉を聞いてワクワクするひとはいますか?」と尋ねると、「ご冗談でしょう」という答えが返ってくる。中には管理されるのが嫌いなだけでなく、管理するのも本当はあまり好きではないという管理職のひとも少なくない。

管理とか管理者のイメージが必ずしもよくないのは、どうも日本だけの現象ではないようで、アメリカで「脱管理のすすめ(Let's Get Rid of Management)」と題する広告文が人気を呼んだことがあった。次ページに少し長いが引用する。

マネジメントの定義は、「他の人々を通じて事を成し遂げること(getting things done through others)」だ。これに対し、リーダーシップは「大きな絵を描き、人びとを巻き込み、その絵を実現すること」と定義され、キーワードは複雑なシステムのなかの「秩序」の「変化」である。

かといって私は、マネジメントがさえなくてリーダーシップがすばらしいと対比するつもりはないのだが、人びとを元気づける、わくわくさせるという点では、明らかに「マネージする」は「リードする」より分が悪い。さらにマネジメントを管理といい切ってしまうと、ひとを抑えつけるような窮屈さしか感じられない。

Let's Get Rid of Management

People
don't want
to be
managed.
They want
to be led.
Whoever heard
of a world
manager?
World leader,
yes.
Educational leader.
Political leader.
Religious leader.
Scout leader.
Community leader.
Labor leader.
Business leader.
They lead.
They don't manage.
The carrot
always wins
over the stick.
Ask your horse.
You can *lead* your
horse to water,
but you can't
manage him
to drink.
If you want to
manage somebody,
manage yourself.
Do that well
and you'll
be ready to
stop managing.
And start
leading.

出典／『アメリカの心――全米を動かした75 のメッセージ』（ユナイテッド・テクノロジーズ・コーポレーション著／岡田芳郎・楓セビル・田中洋訳　学生社　1987 年）

※訳書で「マネージャー」と表記されている箇所は本書の表記との統一のため「マネジャー」と改めた。

脱
管理のすすめ

人は
マネージされることを
望まない。
リード
されたいのだ。
世界のマネジャー
なんて
聞いたことがあるか？
世界のリーダー、
それはある。
教育界のリーダー。
政界のリーダー。
宗教界のリーダー。
少年団のリーダー。
町内のリーダー。
労働者のリーダー。
ビジネスのリーダー。
みんなリードする。
マネージなどしない。
人参は
いつも
ムチに勝る。
君の馬に聞いてごらん。
馬を水飲み場まで
リードできても、
馬に水を飲ませようと
マネージすることは
できない。
もし君が誰かを
マネージしたいのなら、
まず自分をマネージすることだ。
それに上達すれば
君ははじめて
マネージを
卒業する。
そしてリードし
はじめるのだ。

世代論めいた話になるが、私は1954年生まれ、団塊の世代より7、8歳若い世代だ。中学生のとき（69年）、太平洋の向こうの米国ではニューヨーク郊外のウッドストックで巨大な野外ロックコンサートがあり、若死にする前のジミ・ヘンドリックスもジャニス・ジョプリンも元気な姿を見せていた。

偉大なロック・ミュージシャンの多くは、自由すぎてドラッグの影響もあったのか、27〜28歳で世を去ったが、当時は、ベトナム戦争が泥沼化した時代とも重なっており、米国ではヒッピーのみならず、大勢の若者が「もう30代以上の大人は信じられない」と語ったものだ。

あの時代、米国では、四角いマネジメントより分がよさそうな丸いリーダーシップですらうとまれた。東部エスタブリッシュメントのエリートたちのように、一生懸命勉強していい大学に入って、政治や産業の世界でえらくなってリーダーシップをとるようなひとたちなんて、信じられない。もうリーダーシップには誘惑されないし、自分はそういうものをめざさない。そんな若者たちの言動を目の当たりにした米国政府のアドバイザー（後にリーダーシップ論でも名高くなる）ジョン・ウィリアム・ガードナーは、「若者たちはアンチ（抗）リーダーシップ・ワクチンを服用してしまった」と嘆いた。

その頃、嫌われたのは、権威や秩序を象徴するものすべてであった。日本でも東大安田講堂にまで至る学園紛争があり、街を見れば、ベ平連（ベトナムに平和を！　市民連合）のひとたちが闊歩していた。私が通っていた私立の中高一貫校でも中庭でささやかなデモ活動をしている連中がいて、すごい時代になってきたなぁと思ってよく見たら、自分の兄貴の姿もそこにあった。

あの時代の若者たちはみんな自由を叫び、とりわけ管理されるのを嫌った。そして自由のシンボルであるかのように、髪を長く伸ばした（私の髪も肩まで届いていた）。就職するときは、「これまでは、相手が親だろうと、恋人や親友だろうと、命令めいた口調には一切耳を傾けなかったのに、これからは上司のいうことを聞くのか」と思って、憂うつな気持ちになったことだろう。

だが、団塊の世代も、その後の70年代後半に社会人となった私たちの同世代も、世紀の変わり目までには多くのひとがマネジメントする立場になった（団塊世代はもう定年退職し始めている）。私が40代になったとき、久しぶりに会った友人が「とうとう管理職になってしまった」と打ち明けたので、「自由が旗印だったお前が管理職？」と冷やかすと、「お前こそ大学で管理の仕方を教えているんだから、よっぽど罪深い」といい返された。この出来事は、私がマネジメントの新たなあり方を模索し始めるきっかけのひとつとなった。

それでも、マネジメント・管理は必要

よくよく考えてみると、自由と連帯がモットーだったヒッピーのコミューンでも、集団で心地よくいたいと思ったら、何がしかの決め事が必要だっただろ

う。イベントをコミューンでやろうとすれば、誰かがマネジメントをしたはずだ。

身近な例では、大学の学園祭は今もそうだ。実行委員会が構想を練って、プログラムができて、たとえば2日目の午後4時からグラウンドでプロコンサートを催すと決まったら、マネジメントはもう始まっている。ミュージシャンを呼んで、ステージを設営し、音響機材も用意しなければいけない。時間どおりにちゃんとコンサートが始まらないと、みんながっかりする。

そこで想起するのが「ウィ・マネージ・トゥ（We manage to ~）」といういい回しだ。動詞が後に続いて「なんとかやってみる」「なんとか切り抜けていく」という意味になる。つまり、もともとの言葉としてのマネージには、がんじがらめにひとを管理するのとは異なる、より前向きでワクワクするような意味合いも含まれている。マネージ・トゥなら、世の中をなんとかしたいと叫び、革命とも両立する。なんとかするぞ！　この会社、このプロジェクト！　ビートルズだって演奏するときは、"We manage to play our music in our group."という気持ちで4人が音をあわせていたに違いないと想えてくる。

では、なぜマネジメントと聞くと、私たちは憂うつな気分になるのだろう。

前出の加護野教授によれば、マネジメントという英語には、「妻や馬を飼い慣らす」という原義まであったそうだ。今の時代では、「夫か妻や馬を飼い慣らす」と表現しなおす必要があり、会社ではえらそうにしている男性マネジャーでも家では奥さんに飼い慣らされているというひとは多いかもしれない。
サーバント・リーダーシップ論で有名なロバート・グリーンリーフもマネジメントの語源である*manus*に注目した。それは「手」から来た言葉で、馬を導き、思うとおりに動かすために手綱をもつ自分の手をさす。そこから道具やひとをうまく操るという意味をもつようになった（ちなみにＭＩＴの建学の理念は、*mens et manus*「学問的知性と職人的実践性」である——神戸大学の「学理と実際の融合」という理念と似ている）。

もうひとつ加護野教授の指摘をここに付け加えさせていただくなら、次のようになる。マネジメントを管理と訳さず「経営」という漢字をあてたのは、日本の経営学の創始者・上田貞次郎（１８７９〜１９４０年、東京商科大学〈現一橋大学〉学長などを歴任）であった。「経」は「糸」で、「営」は営造物などというときのように「建物」を意味する。要するに、土地を糸で区切って、そこになにを建てるのかを構想するのが経営であって、配偶者や馬や部下を思いのままに動かすのとは違う発想がここにある。

ただし、構想を実現するためには、人びとにきちんと動いてもらう必要もある。加えて、ビジネスの世界では秩序や責任が重んじられる。工場では、決められた製品が決められた手順で従業員のケガもなく安全に、そして安定的に生産され続けられなくてはならない。内部統制とかコンプライアンスも重視される。いずれもキーワードは管理だ。

しかしきちんとやりたいひとが、きちんとやってもらいたいと願うあまり介入しすぎると、「よかれと思ってが大きなお世話」という結果を招きかねない。

十数年前に、私が金融業の企業の支店長研修をかなり力を込めてやっていたときのこと。ケースを使った全体討議に先立って、少人数ごとに部屋に分かれてグループ討議をしてもらった。グループ討議の時間は、講師や事務局（人事部や研修部）にとってはホッとできる休憩タイムでもある。

ところが、その会社の研修部長さんは張り切って「ちょっと見回ってきます」と各部屋の様子をうかがいに行った。戻ってくるなり、「あっちではこんなことを話していました」とか「こっちは議論が低調でしたから、ねじを巻いてきました」などと講師である私たちに報告までしてくれる。ずいぶん熱心な部長さんだなあと感心していると、講師陣のリーダー格だった著名な経営学者が「ああいうのを〝管理したがり〟という」と耳打ちしてくれた。いわれてみたらそのとおりで、グループ討議になまじ事務局が介入すると、過剰管理どころか「警察行為」のようになってしまい、受講生同士のせっかくの議論が冷えてしまう。

この研修部長に限らず、管理責任を負わされたひとがついつい心配しすぎてしまうのは当然だとしても、心配し始めるときりがない。その点でも、過剰管理の原因を「心配菌の増殖」だと見抜いた岸良さんの指摘は鋭く、心配菌の発見は[34]〝パスツール研究所級〟の功績だと声を大にしていいたい。

また、心配が病理、ときに妄想にまで行き着くものであり、同時に人間にとっ

34 照れるなぁ～

ては本能に近い感覚であることは、臨床心理学でいう「なんとか恐怖症」を並べてみると理解しやすい。高所恐怖症、広場恐怖症、狭所恐怖症などは、病的にならない程度であれば、どれも人間としてまっとうな反応だ。高い所に上がれば落ちると危険だし、広い所にいて目立てば猛獣に襲われたときに逃げられない。狭いところにいると、たとえば埋められたらたいへんだという心配もある。心配菌が活発になるのは、いずれも生存にかかわってくるからだ。

管理職がきちんとプロジェクトを推進したいと思ったら、心配菌に直面するのも同じで、程度さえ過剰でなければ、つまり将来のリスクを回避するためにほどほどに心配症であるというだけなら、至極まっとうな反応だ。したがって、やはり心配は悪意から生じるのではなく、善意から生まれると考えたほうがいい。

あるいは、イスラム社会研究の大家、片倉もとこ先生（前国際日本文化研究センター所長）にならって、人間を性善説・性悪説ではなく、「性弱説」でとらえたらどうだろうか。ひとは悪いからではなく、弱いから、心配が高じて過剰管理に走る。そのように病根の背景を見つめれば、処方箋の手がかりが得られそうな気がする。

リーダーと指導者、マネジャーと管理者

リーダーとか、マネジャーという言葉は、どうしてそのままカタカナ英語のまま使われるのだろう。何か他に日本語でよい言葉はないのだろうか。

リーダーを指導者というと何となくしっくりこないし、マネジャーを管理者というとさらに、変な感じだ。困難な場面で、先頭にたって、向う傷を受けながら前進しなければいけないときもあるし、限られたリソースの中でもプロジェクトを成功させるために、なんとかやりくりをしなきゃならないときがある。そんなときに大切なのは、メンバーみんなの「信頼」なのではないかと思う。状況が困難であればあるほど、信頼が何よりも大切なのではないかと思うのだ。信頼とは「信じて頼ること」と広辞苑には書いてある。そういう信頼を常に集めるひとのことを、「あのひとは人物だ」とひとはいう。

すばらしいリーダーとか、すばらしいマネジャーといわれるよりも、[35]「あのひとは人物だ」のほうが日本語では、よほど凄味があるし、立派な気がする。私のようなオチャラケキャラでは到底かなわないことではあるが、いつかはそういうひとになりたいと思うワタクシである。

35 リーダーとかマネジャーという言葉は、世間でよく耳にするが「あの人は人物だ」という言葉はあまり聞こえてこないのはなぜなんだろう……。

2

「経営管理」百年の揺らぎ

19世紀末、経営学の始まり

テイラーによって発案された科学的管理手法

今度は時間軸の流れにそって、マネジメントの学問的意味を考えてみよう。

経営学、中でも経営管理論の歴史を振り返ると、「システム・タスク・仕組み」を深く追究した時期と、「ひとの問題・人びとの協同・人材の育成」に傾斜する時期とが交互に現れたと見ることができる。

これは前出の恩師シャイン先生が、２０００年5月24日に慶応義塾大学で経営行動科学学会主催の学術講演されたとき、語っておられたことでもある。

経営学の始まりは、19世紀から20世紀への変わり目にフレデリック・ウィンスロー・テイラーによって発案された科学的管理法だった。

これにより、一流のひとのやり方を他のひとたちもきちんと踏襲できるように、作業方法だけでなく作業ペース、作業に使う道具までが標準化され、同時に、標準どおりに作業が進んだときの出来高も計測された。工場には計画部が設置され、作業現場ではストップウォッチが多用され、標準化の仕組み、システムが極限まで追求された。

一流のひとにあわせるのでは、労働強化になるのではないかという組合の反対もあり、テイラーの晩年は、議会で証言を迫られるなど不遇であったが、その志は、彼自身が「精神革命」と述べたとおり、今風にいえば、ひとつの組織開発でもあった。

テイラーは科学的管理法で、管理のあり方、組織のあり方を変えたのであり、その管理の体系は「課業管理（タスク・マネジメント）」と呼ばれた。このように経営管理論とその手法の発展の歴史は、まず「システム・タスク・仕組み」の極からスタートした。

１９３０年代以降、人間関係論全盛へ

１９３０年代から50年代にかけては、うって変わったように人間関係論が全盛となった。ひとの心的態度、集団や協同の力、見えない規範の影響力といった研究に重きが置かれ、監督者の訓練や人事相談室の設置もこの頃に遡る。

実験が行われた場所（ホーソン工場）の名前から「ホーソン実験」と呼ばれる研究はよく知られている。これは、元々は照明実験から始まった。

当時の工場はまだかなり暗かったのだろう。照明の具合によって出来高に影響があるのではないかということを、ＭＩＴの研究者たちが調べていた。場所は、アメリカ電話電信会社のために電話機を製造していたウェスタン・エレクトリック社がシカゴ郊外にもっていたホーソン工場であった。

やがて、この研究にＭＩＴの研究者にかわって、エルトン・メイヨーを中心とするグループが入ってきて、ひとの問題がクローズアップされることになる。

メイヨーはオーストラリア出身で、フロイトの精神分析を母国に普及させるのに貢献したといわれている。医者であるかのごとく振る舞うことがあったが、自身は医者ではなかった（そういう詐欺師のようなところがあったともいわれている。詳しくは、ジェームズ・フープス『経営理論 偽りの系譜――マネジメント思想の巨人たちの功罪』〈東洋経済新報社　２００６年　第5章〉を参照していただきたい）。

労働者が神経症になることを防ぐだけで、産業社会の問題をかなりの程度、解決できると考えていたメイヨーは、ひょっとしたらホーソン工場に入る前から、生産性の問題は、ひとの問題、ひとの協働の問題、グループのあり方の問題だと、少しは見越していたのかもしれない。米国にわたった当初は、疲労の研究をまず行い、それなりの成果をあげた。

メイヨーの主張にはロックフェラー財団が興味を示した。これを受けて、メイヨーはハーバード大学に対して、財団から巨額の資金が入るだろうと告げてポストを得る確率を高め、財団に対しては、ハーバードから招聘される（されそうだ）ということを交渉材料として、通常の教員には望めないほどのリソースをもって、この実験に望んだ。

さらに、研究グループに、後に経営学の歴史、組織の研究の歴史に名を残す、臨床心理学者でカウンセリング心理学者のフリッツ・J・レスリスバーガーと、人類学者のロイド・ワーナーを雇い入れ、研究における注意の焦点をひとの問題に移した。そうでなければ、心理学者と人類学者をこのような長期にわたる研究調査プロジェクトに雇い入れないだろう。

ホーソン工場では数々の実験が行われたが、なかでも最もよく知られる継電機組立実験室では、若い女性の作業者5名の作業条件を変えながら、出来高を記録し続けた。

メイヨーは疲労の問題に興味をもっていたので、休憩を入れたり、休憩時間を変えたり、休憩の回数を変えたり、また作業者たちが朝食を食べてこないこともあったので、午前の休憩のときにスープとスナックを出したりした。

しかも、5名の作業者にプラスとなるような変化を加えたときにも、研究員に「午前の休憩時に、スナックなども出してもいいですか」などと毎回ていねいな説明や相談をしたそうだ。その間、ずっと出来高は上昇し続けた。

最も不思議だったのは、物的作業条件（つまり、タスク・マネジメント面での環境）を元の状態に戻しても、出来高はさらに上昇し続けたことだった。この結果を説明するために、メイヨーは、「働くひとたちの心的態度（mental attitudes）が変わったのだ」といってのけた。

実験に貢献した5名の女性作業者はふだんよりも大切に扱われ、特別にしつらえられた実験室に入れられたことで、注目もされ、配慮もされた。メンバーの選定は、元から仲良しだった2名に、残り3名の選択を任せた。少し年上だったメンバーだけ1回交代したが、実験が行われていた間、彼女たちにはグループへの愛着も生まれた。出来高上昇はこれらの結果であるというのがメイヨーの説明だった。

また、別の実験室（雲母剥ぎ取り作業観察実験室）では、人類学的な参加観察研究がなされたが、作業者グループのなかにインフォーマルな規範があり、それが出来高を左右することも認められた。

ここで、経営管理論の振り子は、システムやタスクの極から、ひとの極、人びとの協働の極へと大きく振れることになった。

シャイン先生によれば、これ以後もずっと、経営管理論の歴史はこの両極を行ったり来たりすることになる（来日講演の記録は、『キャリア・デザイン・ガイド』〈金井壽宏著　白桃書房　２００３年　158～163ページ〉に掲載）。

3

「経営管理」百年の揺らぎ

１９５０年代～１９７０年代

カーネギー学派の意思決定論

１９５０年代以降は、ノーベル賞学者のハーバート・A・サイモンを中心に、組織で生じているあらゆる現象を、情報処理と意思決定の概念から合理的に説明する理論と、それに支えられた経営管理の実践が大いに進展した。

サイモンらは、拠点としたカーネギー工科大学（現カーネギーメロン大学）にちなんでカーネギー学派と呼ばれ、意思決定論と名付けられたそのアプローチは、一世を風靡するとともに、そこから企業のシミュレーション・モデルや意思決定を支援するシステムまでが構築されるようになる。

これらの動きに呼応して、再び「経営管理とはシステムの問題である」という極に時代の注目も実践も傾いた。同時期のコンピュータとコンピュータサイエンスの発達もそれを支えた（ただし、サイモン自身は、確固たる人間モデルを提示し、その意味で、システムやタスクの面と人間の面の両方をカバーする偉大な学者であり、認知心理学者としても、人工知能の学者としても、また経済学者としても名を残した。たとえていうならレオナルド・ダ・ヴィンチのようなマルチタレントだった)。

マクレガーがより自律的な人間モデルを提唱

他方、意思決定論的な経営学の進展と時期的にはオーバーラップする形で、60年代を境目に、自律的で自己実現を目指すひとに関する研究と実践が見られ始めた。こうした展開に深い影響を与えたのは自己実現の心理学を提唱し、後にアメリカ心理学会の会長にもなったエイブラハム・H・マズローだった。

さらに、MITの看板教授であったダグラス・マクレガーが、『企業の人間的側面』という著書を60年に世に問うた。この書籍は今も読まれ続けている。マクレガーは管理職のひとたちに「どうやって従業員を動機づけていますか?」というストレートな問いを繰り返し、管理職自身がどのようなモティベーション持論をもっているかということが職場の活力や人間関係に影響を与えると主張した。

彼が管理職の生の声から発掘したのは、X理論・Y理論と名付けられた対照的な2通りの理論(管理職の実践を導く意味では「持論」)だった。

X理論によれば、ひとは生来働くのは好きではなく苦痛で、だから自ら進んで仕事の責任を引き受けることはないし、管理職としてはアメやムチをうまく使って部下を動かすしかないのだという。

これに対して、ひとは好きなことを楽しむときと同じように仕事に取り組むことがあるし、そう思えば自ら進んで責任を引き受ける。いちいち命令しなくても自己統制できる従業員もいるし、彼らのもつ潜在的な可能性をもっと生かすべきだ、というのがY理論の基礎にある考えで、ここにマズローが唱えた自己実現の影響を見てとれる。「メイヨーの人間関係論（旧人間関係論）」が、グループに所属し依存する人間モデルを想定するのに対して、マクレガーは、より自律的な人間モデルを想定した。

また同じ時期にクリス・アージリスは、これまでの古典的な管理原則は、成熟した成人の自律性からすると、制約的にすぎると警告した。これらの動きを「新人間関係論」とも、（レイモンド・E・マイルズにならって）「人的資源管理論」とも呼ぶ。

この時代には、企業の人事部（パーソネル・ディパートメント）も、徐々に人的資源（管理）部（ヒューマン・リソース・ディパートメント、もしくはヒューマン・リソース・マネジメント・ディパートメント）などと呼び変えられるようになった。自律的に自己実現までを念頭に、自らを鼓舞し、がんばることができる人間像を基盤に、マネジメントの問題をとらえる気風が高まったためだ。

トップ・マネジメント・レベルまでシステム化される時代へ

それでも1970年代になると、「経営とはひとの問題である」といい切ってしまうことに反対する動きがまたしても出てくる。70年代後半には、大学の研究者だけでなく、ボストン・コンサルティング・グループやマッキンゼーといったコンサルティング会社によって、とうとう経営戦略というトップレベルの関心事までがシステム化されるような時代に入っていった。

ここでは詳しく述べないが、プロダクト・ポートフォリオ・マネジメントという名のもとに、また、具体例としては当時のGEにおけるビジネス・スクリーンと呼ばれるツールに見られるように、本社レベルでトップが行う決定、すなわち、どの事業には追加投資し、そのキャッシュ・フローをどの事業から得て、また、どの事業からは撤退すべきかという決定までがシステム化された。

工場の現場からスタートしたタスク・マネジメントという標準化の技法がトップ・マネジメント・レベルにまで及び、そのツールの普及に、コンサルティング会社が活躍する時代がやってきたのだ。経営戦略までが体系化される時代の幕開きであり、事業をポートフォリオとして分析的、体系的に管理しようとする方向性が強まった。自己実現などと戯言をいっている場合ではないとばかりに、振り子が再びシステム・タスク・仕組みの軸に大きく揺れた。

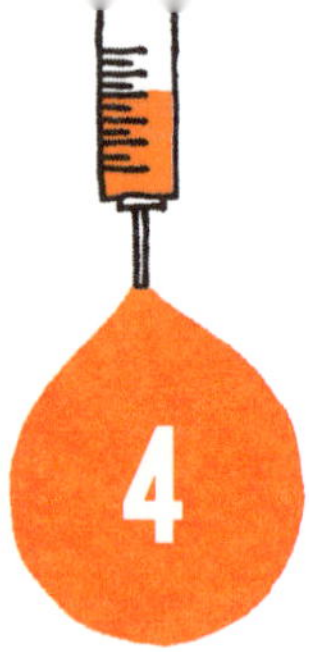

「経営管理」百年の揺らぎ
1980年代〜現在

ソフトな人間的要素に着目する研究が花開く

1980年代に入ると、40代以上の方なら記憶に残っている思われるベストセラーが世に出た。マッキンゼーの2人の腕利きコンサルタント、トム・ピーターズとロバート・ウォーターマンが、当時スタンフォード大学の博士課程にいたデイビッド・アンダーソンの協力を得て執筆した『エクセレント・カンパニー（*In Search of Excellence*）』だ。わが国でも大前研一氏訳（講談社1983年）でベストセラーになった。

この著作は、日本企業の躍進に刺激され、さらには、脅威を感じたピーターズとウォーターマンらが、米国にも存在する超優良企業を40社強を選び出して、その特徴を炙り出そうとした試みであった。

これらの会社の卓越したマネジメントを見ていくと、数字や体系や課業ばかりを中心に動くというよりも、たとえば、顧客に密着してその声を聞こうという気風がある、（機械やロボットではなく）人びとを通じての生産性向上が図られている、（プロダクト・ポートフォリオなどの分析を通じてではなく）企業家的人物（プロダクト・チャンピオンと呼ばれる熱意をもったイノベータ）の自律的活躍が見られ、それを促進する組織文化があるといったことがわかり、そうしたソフトな人間的要素に着目する研究が花開いた。

マッキンゼーといえば、先述したようにGEにビジネス・スクリーンという分析的な戦略手法の体系を導入したコンサルティング会社として知られるが、そこのコンサルタントらが自己否定するかのように組織文化や企業家精神が大事だと叫び、またまた振り子がシステムからピープルの軸に揺れたわけだ。

同じ時期（81年）、当のGEでは、分析的で体系的な経営を推進してきた前任のレジナルド・ジョーンズ会長が、最高経営責任者（CEO）の座を、自律的で企業家精神あふれるジャック・ウェルチ氏にバトンタッチした。つまり、経営管理論の振り子がひとの軸に揺れたときに、CEOのタイプもシステム志向の財務タイプから、ひとを動かしひとを育てるタイプに変わったことになる。

ウェルチ氏が20年間もCEOをしているうちに、GEの人事は、グローバルにどの国に行っても、どの事業を担っても、戦略発想で変革を起こせるリーダーを生み出す仕組みに改変された。この時代には、数字に強いひとたちを、しばしば「豆勘定師（bean counter）」「数字いじり人（number cruncher）と呼んで揶揄したものだった。

またこの頃は日本企業の経営がもてはやされ、ひとを大事にすること、現場を大事にすること、グループダイナミクスを動かしていることなどが注目された。リチャード・パスカルたちの『*The Art of Japanese Management*』（邦訳名『ジャパニーズ・マネジメント』深田祐介訳、講談社文庫、１９８３年）は、米国企業からはＩＴＴというコングロマリットの経営者ハロルド・ジェニーンを、日本企業では松下電器産業の松下幸之助を取り上げ、対比した。

数字を中心とした「揺るぎない事実」を元に分析的に、しかし恐怖政治で経営を行う（と著者たちが解釈した）ジェニーンと、ものをつくる前にひとをつくっている会社だと自社を語る松下の創業者とは、そのまま、システムとピープルという振り子の極の象徴のようでもあった。

この本では、マッキンゼーが提唱していた「７Ｓモデル」が紹介され、パスカルたちは、戦略（ストラテジー）やシステムといった堅いＳ（ハードＳ）よりも、共有価値（シェアード・バリュー）や人員（スタッフィング）といった柔らかいＳ（ソフトＳ）が日本企業では重視されていると示唆された。

いうまでもなく、ＩＴＴにもひとの管理があり、松下にも、たとえば「経営経理」というすぐれたシステムがあるのだが、ＩＴＴは数字とシステムで、松下といえば人材育成だという主張はうなずける。ついでながら、ファーストリテイリング（ユニクロ）の創業者柳井正氏が最も尊敬できる経営者として、ジェニーンの名をあげておられるのも興味深い。

ＢＰＲが注目されシステム・タスク軸へ

その後、１９９０年代になって日本の産業社会が苦しみはじめ、日本型のひとを大事にする経営への関心も衰えるなか、米国でマイケル・ハマーとジェイムズ・チャンピーの「ビジネス・プロセス・リエンジニアリング」（ＢＰＲと略称される）が注目されるに及び、振り子はまたしても人間軸からシステム・タスク・仕組みの軸へと動いた。

ＢＰＲでは、仕事の流れを最適化することによって、かつては何カ月もかかっていた与信管理が数週間、あるいは数日でできるようになったといった事例が多数紹介された。

ＢＰＲは一見、米国発のようだが、一橋大学の野中郁次郎教授の解釈によれば、大元は日本発で、仕事の流れの最適化はトヨタ生産システムを頂点に仰ぐ、日本企業の十八番だった。ただ、日本ではそうした手法を現場から、ミドル以上、あるいはホワイトカラー業務にまではあまり展開していなかった。換言すれば、わが国がバブル崩壊後、長い不況に苦しむなか、元気と自信を取り戻した米国は、なお日本型から学びとろうとしていたのであった。日本企業の「マネージング・ピープル」だけでなく、現場での緻密でこだわりのある「マネージング・タスク」についても学ぼうとする動きが出てきたわけである。

BPRがはやっていた頃、書店でBPRと名のつく書籍を数えてみたら、30冊近くも出ていて面食らった記憶がある。しかも立ち読みしている[36]サラリーマンたちの表情が一様に暗かった。理由はおそらく2つあって、会社から「勉強しろ」と厳命されていたのと、「またしてもひとを締め上げる経営管理ツールが出てきた」と思って、みんなうんざりしていたせいだろう。

BPRが行き過ぎるとひとを疲弊させることは、提唱者であるチャンピーたちも後に認め、そうした反省から生まれたひとつの考え方が、エンパワーメントであったともいわれている。単に現場に権限委譲するだけでなく、予算などリソースの裏付けを与えて、自律的パワーを大切にしてもらおうという動きだ。

たとえば、ザ・リッツ・カールトン・ホテルの顧客接点にいるホテル従業員、ヤマト運輸で配達先の顧客と接するセールスドライバー（SD）がそうであるように、顧客に近いひとたちに、顧客がいっそう満足するように、あるいは不満やクレームがあれば、その場で解決できるように、自律的な判断と行動を支える予算や権限を与えるというのがエンパワーメントだ。

ヤマト運輸は、小倉昌男さんが1976年に宅急便事業に乗り出して以降、ビジネスの仕組みに支えられた会社に生まれ変わったが、その実践のなかでは、SDのエンパワーメントも重要な意味をもっていた。つまり、システム構築とひとのイキイキがともに大切にされていたわけだ。

36 岸良もその一人です。

科学的管理手法

BPR、つまり3文字アルファベットの科学的管理が全盛の頃、私は大企業の中間管理職だった。管理職であるがゆえに管理を手法を熱心に勉強し、「ウチの会社でもやるべきだ！」と周囲を巻き込み熱心に活動したものだ。

関西の企業はストレートだ。その手法に関心を寄せつつも、「岸良くん、え～こと言うじゃないか？　ところで、それやるとナンボ儲かるんだ？」と質問されてしまう。「ナンボ儲かる？」はシンプルだが、本質を突いた質問だ。いろいろメリットを語ってみても、結局、儲かってナンボなのだ。

当時の私には、新しい手法がどう儲けに貢献するか説明できなかった。様々な科学的管理手法を勉強するのに夢中で、新しい経営管理手法が出てくると、それを覚えて説明できることで満足していたような気がする。

ところで、広辞苑で「科学的」という言葉を調べると「物事を実証的・論理的・体系的に考えるさま」とある。先端的な科学的管理手法をいくら勉強しても、実証的に論理的に、体系的に考えていなかったのだ。「ナンボ儲かる？」という質問はすごい。この一言で科学的であることを我々に促すのだ。

システム軸とひと軸の揺らぎのなかで

ひともシステムも大事

このように、およそ100年もの間、経営管理論という学問は「システム・タスク・仕組み」の軸と「ひと、ひと、ひと」の軸の間を揺れ続けてきた。だが、経営の現実は、この両方ともが大事であることをいつも物語ってきた。

ひとに動いてもらうためにシステムは大事に決まっているけれども、システムをつくったり動かしたり変えたりするのは人間だ。こういう当たり前のことが見過ごされると、振り子の揺れのように強調点が左右にぶれる。

経営コンサルタントは新しい考えを提示する必要に迫られ、流行に振り回されずにじっくり研究を重ねるべき学者も、経営管理とはダイナミックな現実の動きに呼応した学問だと思っている（この認識は間違ってはいないだろうが）。

そのため産業社会において時代の進展があるたびに、それまで「経営はひとだ」という意見が横行しすぎていれば、「いや経営はシステムだ」という警鐘が鳴らされ、新しい経営管理の仕組みを提唱、普及させる書籍が書かれる。逆に、「仕組みさえつくればうまくいく」という状態に陥っていれば、今度は、「やっぱりひとだ」という反対の極に走ってしまうのだ。

もっとも、最近のバランス・スコアカード（ＢＳＣ）の隆盛ぶりを目の当たりにすると、システムの中にひとの問題も包含する動き、すなわち、これまで分断されてきた2軸の統合の兆しを見てとることもできる。ＢＳＣには、財務、顧客、業務プロセスの視点に加えて、学習と成長の視点がちゃんと入っている。本当にいい会社であれば、ずっと前からそれに似たようなことをやってきたのだろうが、ひとの問題も取り込んで業績を評価する仕組みというのは、試みとしては正しいと私は思う。

両軸を融合させる研究の必要性

とはいえ、現実のビジネス・シーンで、マネジメントとは「仕組みできっちり管理」なのか、それとも「みんなでなんとかやってみること」なのか、さんざん悩むひとはまだ多い。いわば歴史の振り子を個人の人生の中で経験し、揺れているのだが、ならばなおのこと、そろそろ両軸を融合させる研究をすべきではないのかと私は考えている。岸良さんのようなすぐれた実践家が、仕組みづくり・ツール整備の面からプロジェクトマネジメントに深くコミットしながら、そこに潜むひとの問題の大切さに気づき、それどころか感激もしておられるということも、とても大事なポイントであるように、私には思える。

思えば、最初に科学的管理法を発案したテイラーに対し、「システムでひとを管理し始めた悪いひと」とレッテルを張るのも、皮相な解釈だという気がしてならない。テイラーがやったのは、前にも述べたように、一流のひとの作業を再現する仕組みをつくることだった。だから鉄鋼所でのシャベルの使い方にも一流のやり方があるはずだと考え、シャベルで1回物を運ぶには、どのくらいの量が適切かを研究した（一流のシャベル使いは、1回に約9キロ運ぶようにすると仕事量が最も多いことがわかった）。

さらにいえば、テイラーが作業を標準化し、標準を上回る仕事をした作業員に出来高給を支払うようにしたのは、作業者を救いたいという気持ちからだった。そのために、ストップウォッチで作業を監督するような手法も編み出したわけで、その光景はチャップリンの映画『モダン・タイムス』のワンシーンを思い起こさせもするが、テイラー自身は、がんばったひとにがんばった分の賃料を受け取ってもらうための仕組みをつくったつもりだった。

テイラーを一方的に悪者扱いするのはやはり間違いで、彼がやったことには功罪両方あると見なすほうが公平だと思う。功のほうがはるかに大であり、テイラーが、経営学の出発点であることも改めて強調しておきたい。

6

プロジェクトをマネジメントする誇らしさと大変さ

プロジェクトで一皮むける

次に、プロジェクトマネジメントに焦点を当てて、その2つの側面について考えていきたい。

私は、ビジネスパーソンのキャリア形成、つまり、ひとが成人になって以後も、どのようにして発達・成長・脱皮していくのか、どのようにリーダーシップを発揮できるようになっていくのかについて研究するために、仕事における「一皮むけた経験」を尋ねるインタビュー調査を続けてきた。

今まで話を聞いたひとは、社長、役員、事業部長レベルでは、（インフォーマルなものも含めれば）100名近くに上り、ミドルの部長、課長レベルでは、研修で収集しているデータも加えれば、何千名になる。そのひとたちのなかで一皮むける経験として取り上げられることが多いのが、プロジェクトタイプの仕事だ。

プロジェクトの特徴は、第1に、目標がわかりやすいことだ。

いいプロジェクトならいっそうそうで、目標が高い志や使命（ミッション）に支えられている。定常業務ではないプロジェクトをわざわざ立ち上げるのだから、どんなプロジェクトにも、少なくとも理想としては、明確な意味があり、それが目標にブレイクダウンされている。目標よりはっきりしているという意味で、「標的」と呼ぶほうがいいかもしれない。

第2に、メンバー構成がその目標（標的）に合致している。通常の組織でなく、（ここでも理想としては）ミッションにふさわしい才能をもった人びとの集まりがプロジェクトチームだ。

定常業務において、管理職に最初から職制上の部下が与えられているのと違って、プロジェクトのメンバーは、目標やそれを支える志の実現のために使命感をもって取り組んでくれるひとを、メンバー自らが集める。

このプロセス（アラインメントといわれる）が肝心で、そこがうまくいっていると、目標にあった人員構成となる。たとえば、シャープでは、緊急プロジェクトに部下を出すのをどうしても渋る上司がいる場合、プロジェクトリーダーは「悪いけど、死んだと思って出してくれ」といってでも動員をかけるという。

第3に、プロジェクトは有期限で終わる。開発プロジェクトみたいに納期までに絶対になんとかしなければならないという、悲壮な目が血走るような過酷

37 岸良もこのプロモーションにやられた一人です。

なプロジェクトでも、必ずゴールがある。

有期限だからこそ、やり遂げた後はいっそう達成感が残る。なにしろプロジェクトチームそのものは解散されるので、成し遂げたことが記憶に、そして場合によっては商品やサービスに体現されて世に残ることとなる。

前章で岸良さんがプロジェクトのふりかえり段階について示したように、メンバーが「はりあい」を感じられれば、次のプロジェクトへとつながっていく期待ももてる。

もちろん、どのプロジェクトもこのような理想に近い形で実現していくとは限らないが、途中いくらたいへんなことがあって、修羅場経験に近いような経験を伴っていても、うまく進んで完遂したあとには、これで一皮むけたと回想されることが多い。一皮むけた経験にプロジェクトタイプの仕事が多いというのは、その意味で納得のいくことである。

世の中には「一皮向けた経験なんていくらでも挙げられます」と平気でいってのけるひともおり、業種別では、たとえば広告代理店のひとたちがそうだ。クライアントごとに特定のオリエンテーションがあり、それを実現するために企画を練り、受注すれば、一つひとつがプロジェクトタイプの仕事となる。

広告代理店では、管理職になる前の30代前半のひとでも、たとえば、「[37]『バドガール』をバドワイザーのプロモーションのために生み出したのは私だ（正確には、私たちだ）」というように、熱意をもって語ってくれるひとが多い。

こういうひとたちの意識では、広告プロジェクトはほとんどすべてが、ふたつとして同じものはないプロジェクトなので、それぞれが一皮むける経験になりやすいそうだ。

もっとも、世に存在する様々な広告キャンペーンについて、「あれもこれも私がやりました」とばかりに、あまり派手ないい方をされると、こちらとしては少々困惑するけれども、たしかに目標があって、それにふさわしいメンバーがいて、有期限だから、広告の仕事はプロジェクトタイプがめじろ押しといえなくもない。この業界の40～50代のひとなら、こちらが「絞ってください」と頼めば、大きく一皮むけた、より印象深い、あるいはより難易度や社会へのインパクトが大きかったプロジェクトを3つ、4つ、絞り込んで語ってくれる。

プロジェクトで燃え尽きる

逆に一皮むけた経験をあげるのに最も悩むのはどういうひとたちだろうか。私が見るに、各企業の経理部門のひとたちがその代表格かもしれない。

経理はきちんとやるのが当たり前の仕事で、仕組みごと変えるときなどを除けば、プロジェクトタイプの仕事は少ない（そのせいか、大手広告代理店で新人の配属先を発表する際、「経理部配属」と告げられた新人が男泣きに泣いたという話を聞いたことがある）。

神戸大学の同僚の加登豊教授から教わったことだが、経理部門のひとたちがかかわる数少ないプロジェクトタイプの仕事に「原価企画」という活動がある。日本企業特有の活動で、英語圏では「ターゲット・コスティング」の名で知られている。

経理のひとは、ふつう経理のひとばかりに囲まれて仕事しているが、原価企画は、他の職能分野のひとと接し、彼らとの関係にもまれる世界である。製品の企画段階から、開発部門の研究開発スタッフ、製造部門（工場）のエンジニア、営業やマーケティングの専門家にまじって、経理の担当者が招かれる。製品ができあがってからコストダウンのことを考えるのではなく、開発の初期の段階から、ターゲットとなる価格水準を念頭に、原価をより低くなるようにつくり込んでいくためだ。

この原価企画の世界的権威でもある加登教授が、ある日、私の研究室に、「燃え尽き（バーンアウト）症候群」に関する書籍を求めてやってきた。どうしたのだろうと思って、現場で起こっていることについていろいろ聞かせてもらったところ、原価企画を実施すると、なぜかそれに参加した経理部門のひとが燃え尽きがちだということだった。

経理のひとたちにとって原価企画のプロジェクトは、製品がねらいとする価格で売れるように成功裡に開発された暁には、ふだんふれ合わない他部門の専門家たちと一緒に感動を味わえる好機でもある。

だが、その一方で、初期の会合や途中の困った場面でかり出されて会議に出る度に、ふだんとは違うコンフリクト（対立）も伴うやりとりの場をくぐり抜けなくてはならない。そのうちに、燃え尽きる経理のひとたちが相次いでいるらしいというのが、加登教授が語ってくれた現状認識だった。

では、なぜ経理のひとがプロジェクトで燃え尽きるのか。バーンアウトという概念がどこから生まれたかを顧みると、これにはわけがあることがわかる。もともとバーンアウトは、「ヒューマン・プロセッシング・プロフェッション」と呼ばれる、人間を扱うことが仕事の重要な部分を占めるひとびと、たとえば、ソーシャル・ワーカー、カウンセラーなど、ひとと接すること自体に直接かかわる仕事の従事者に見つかった現象なのである。ひらたくいうと、人間関係そのものと格闘し続けていると、燃え尽きてしまいやすいというわけだ。

開発プロジェクトの原価企画は、時としてチーム内のきしみを生みかねない。開発、製造、営業のひとたちがそれぞれ思いをぶちまけ、キリキリした状況になって、「ところで金庫番のお前はどう思うんだ」と経理のひとにお鉢が回ってくるかもしれない。

ひとの扱いに慣れていない経理のひとは、いかんせんこうした場面に弱い。夢なんか見なくてすむ代わりに、頭を使って合理的判断だけをしてきたひとたちだから、人びとの対立や感情のうごめきに巻き込まれると燃え尽きやすい。経理のひとたちに失礼ないい方になってしまったら申し訳ないが、そんなつもりではなくて、私がいいたいのは、プロジェクトをマネジメントする誇らしさと憂うつは、このあたりの事情と関係しているのではないかということだ。

ひとにかかわること、それによって、よりよい仕事が協同のなかでできる誇らしさと、絶えずひとのことを気にかけないといけないという問題は、数字で割り切れる世界と比べるとひと筋縄でいかない。

かつてMITスローン経営大学院に提出された博士論文のひとつに、マネジャーのバーンアウトを扱ったものがあった。そのポイントとなる当たり前といえば、当たり前の指摘は、マネジャーの仕事には、頭を使う部分と、ひととの関係を扱う部分があり、持続する疲れや燃え尽きにつながるのは、ここでも後者のひとにまつわる部分であるというものであった。

この論文を指導したシャイン先生は私たちによくいったものだ。「頭を使って疲れても、その疲れは良質で、持ち越さないいし、たまっていかないが、人間関係にかかわる疲れは、つい蓄積しがちで、割り切ることが難しいので、持ち越してしこりをためてしまう」と。

そういうシャイン先生が、経営管理の発展の歴史はタスクとピープルの両極の間を揺れてきたと指摘されるのだから、実に興味深いことだ。

納期という怪物をやっつける

プロジェクトは修羅場の連続だが、乗り越えると一皮むけるような誇らしい仕事だ。しかし、たとえばどんなに画期的な製品の開発でも、会社のミッションである以上は納期をきちんと守らなくてはいけない。ここも憂うつな部分で、マネジャーが管理一辺倒に陥る危険性もはらんでいる。かといって管理だけで十分でないのは、ひとの要素に目を向けなければ、多様なひとたちからなるチームがもたないし、目標達成にもつながっていきにくいからだ。

以前、セイコーエプソンの花岡清二前社長から心に残る話を聞いた。花岡さんはプリンターのプロジェクトで厳しい納期を何度もクリアしたり、他のひとでは不可能だったような難局を乗り越えたりして、辣腕マネジャーとしての名を轟かせた。部下には厳しく、「瞬間湯沸かし器」の異名をとったほどで、そのスタイルは、行くぞといったら胸倉をつかんででも引っ張っていくような強引なものだったそうだ。当然、チームからは脱落者も出ていたかもしれない。

こういうスタイルは、勝っているうちはメンバーのモティベーションも維持できるし、それに応じたインセンティブもあるだろうから、問題が表面化せず、当事者も何が悪いかわからない。しかし強いプレッシャーの下でメンバーの間にストレスがたまると、ふとしたきっかけでチームが崩壊するかもしれない。

花岡さんは社内研修の機会にアセスメントの先生から、「今のままのスタイルを続けていると、部下がついてこなくなるよ」と指摘されたが、その場では、「わずかな観察で、社外のひとにそんなことわかるものか」と、いったんそのフィードバックを捨て置いたのだという。

しかし、あとでふりかえって内省してみると、思い当たるふしがあると気づいた。そして、自分のやり方についてこられないひとが、ひとり、ふたりと増えているようにも思えたのか、アドバイスを素直に受け入れることにしたそうだ。

その後、花岡さんはスタイルを改め、ぐいぐい引っ張るだけでなく、プロジェクトの目標をメンバーに説明するときも、なぜそれを目指すのか、どうしてこれほど厳しい納期でやらなければならないのか、達成されれば、会社にとってどういう意味があるのかをミッションの意味も含めて話すようにした。

きちんと説明してミッションをしっかり告げたら、メンバーは歩み始めてくれる。そのうえで、花岡さんは、厳しいプロジェクトでは、部下たちを後ろから支えて押すようなリーダーシップも併用するように変えたそうだ。

そのスタイルを花岡さんは、重い荷物を積んだリアカーが坂を登っている状態にたとえて、「リアカーを後ろから押す」と表現した。そう変えたことで自分もすごく楽になったと話しておられたのも印象的だった。

上に立つひと、この例だとプロジェクトのリーダーが、メンバーに尽くすタイプのスタイルをサーバントリーダーと呼ぶが、これに近いところもある。

過剰管理の緩和剤
「例外による管理」という考え方

例外的事象が起きたときだけ管理者が動く

マネジメントの本質、経営管理論が（そして働くみんなも）陥りがちなシステム軸・ひと軸の分断、プロジェクトに伴う誇らしさと憂うつ、とひととおり問題点を整理してきた。ここからは過剰管理に陥らないためのヒントを探っていきたい。

組織には、それまでの経験から、マニュアルや標準業務手順などの形で知識が蓄積されている。管理者はそれをうまく活用してひとを動かす。マニュアルは曖昧さがないほど望ましいとされ、それを管理者は部下に渡しておく。「あとは任せた」でいければ、うまくいっている証拠で、管理者は介入しない。うまくいかないとき、つまりマニュアルに書いてない例外的事象が起きたときだけ、管理者は「俺の指示を聞け」という。これが「例外による管理」（management by exception）だ。その名のとおり、例外が生じたとき以外は、任せておくという姿勢を管理者がくずさなければ、過剰管理を防ぐ工夫になりうる。

ただし、これには基盤となる仮定があって、ひとつには、標準業務手順がある程度整備できるような仕事であること。もうひとつは、標準的な対応では対処できない例外事態がそう頻繁に発生しないこと、そして最後にもうひとつ、管理者が経験豊かで、例外的事態への対応法を即座に考えつき、お伺いを立てた部下にそれを指示できることだ。

だが、変化の激しい技術分野や、絶えず競合から思わぬ動きがあったり、お客様の志向が不安定な分野では、使用に耐えうる標準業務手順がなかなかつくれなかったり、つくれても、複雑になりすぎたりする。またこれらの不確実な環境では、例外の発生する頻度が増えるし、かつての経験が役立たないほどの新規の状況では、例外に対して、上司だから、管理者だからといって、より適切に対応できるとは限らない。

「例外による管理」という用語が以前ほど使われなくなり、最近では教科書でもあまり見かけなくなったのは、例外が起こるのが当たり前という時代に突入したせいだろうか。それにしても「例外による管理」は、古い考え方ではあっても、経営管理を考えるうえでの「基本のキ」であるということは念頭においておくべきだ。

「任せる」の機微

次に、岸良さんが先にふれ、前項でも出てきた「任せる」という言葉について考えたい。

「任せる」はなかなかの〝化け物言葉〟[38]だ。「任せるとモティベーションが上がる」「任せるとひとは育つ」とはよくいわれるけれど、本当にいつもそうだろうか。

以前、私は「任せる」の機微を分析し、タクソノミー（体系的分類枠組み）を構築してみたいと思って、経営トップ20人にインタビューしたことがある。その結果、「任せる」にはいくつかのバリエーションがあることがわかった。

「任せる」の類型論を構築する際の1つの軸は、「何のために任せるのか」という目的意識だ。これには「育成のため」「動機づけ（モティベーション喚起）のため」「発見のため」の3つがあると考えられる。

もう1つの軸は「任せることの内容」にかかわっている。私がこの調査で念頭に置いたのは、任せる側（会社の本部・上司・前任者）にとってなじみのある「既知」のことか、それとも変化の方向を読むのが難しい「未知」のことかという切り口だった。

この2つの軸から、「任せる」の類型が103ページの図のように6つのセルで

38 プロジェクトのタスクのなかには、そのひとしかできないというタスクも多く、その上司でさえ、どうやってよいのかわからないというタスクも多くある。

私自身、様々な種類のプロジェクトを支援してきたが、災害復旧の公共事業の現場はとびぬけてものすごい。危険と隣り合わせの現場。一つひとつのタスクがそのひとしかできないという命がけの作業だ。ひとつ判断を間違えれば、仲間を死に至らしめることもあるという修羅場の連続。

そのなかで、その現場のマネジメントをするということは、まさに仲間の命を預かる仕事。「俺に命を預けろ！」という言葉はまさに額面通りの意味である。

そのなかでも、自分ではとうていできないタスクの数々を見事に全体でマネジメントし、プロジェクトを成功に導くプロジェクトマネジャー（敬意をこめて「辣腕親方」と呼ばせていただいたほうがよいかもしれない）は、災害大

国の日本にはたくさんいらっしゃる。その本質から学べば、他のプロジェクトでも応用できる。

ちなみに、こういう現場の辣腕親方こそ、後述するように、例外による管理を実現するクリティカルチェーン・プロジェクトマネジメント（↓160ページ参照）を、「俺の今までやってきたことそのものだ」と評価し、後輩の育成に積極的に活用しておられる。


示せる。読者のみなさんがプロジェクトマネジメントに携わりながら、「任せる」ことが大事な局面に入ったら、この図を見ながら、どのタイプの意味合いで任せているのかを自覚的に考えてみてほしい。そうするだけで、任せたとは名ばかりで「ほったらかしだった」というよく聞く話も減っていくだろう。

セル1は、育成を目的に既知の内容を任せることだ。「将来の幹部には現場を経験させる」といった現場主義、技術移転・世代間伝承の円滑化、そして「例外による管理」もここに当てはまる。

育成目的で未知のことを任せるセル2は、かなりハードな鍛錬の機会となる。強靭なひとでないと耐えられなさそうだが、逃げない人材は乗り越える。加えてこの状況では、任された担当者のほうが上に立つひとよりも業務の実際を身近に知るようになり、通常とは逆向き、すなわち下から上への技術・知識・情報の移転が生じる。「若いひとたちに案を立てさせたほうが時代の感覚に合ったものができる」といった場合がそうだ。

モティベーションを喚起するために既知のことを任せるパターンはセル3だ。会社にとって既知の仕事は、実績もあり重要なことでもあるから、その分野で若い時期に成功した体験をもつと自信が高まる。インタビューでは「入社2年目で本社の経理にいたら、上司に『今月の決算を締めてみろ』といわれ、スタッフもつけてくれた。今でも夢に見るぐらい苦しかったけど、仕上げたことで自信につながった」と述懐した商社のトップもいた。

また、この分類のなかには、「長」としての経験など、計画や調整・統制を含む、より大きな責任を担う垂直的職務拡大も含まれる。ここでの垂直的職務拡大とは、同種の内容の仕事をやっていても、その計画にあたる部分、評価や統制にあたる部分も自分でこなすようにしてもらうことをいう(これに対して、水平的職務拡大とは、組み立て作業の場合、作業の一部だけ反復作業でしてもらっていたひとに、より広範囲な作業をひとりで工夫しながらやってもらうことをいう)。

セル4は、未知のことに夢やロマンを感じさせて挑戦してもらい、人びとを動機づける形態だ。たとえば「新規事業はベテランではなく、あえて若手に任せる」という上司の判断は、その若手の育成だけでなく、その会社における企業者精神の喚起を期待している。

この場合は、任せた限り口を出さずに耐えることも必要だと上司には自覚させる。しかし、目に見えないところで、上司が他部門からの協力を取り付けておくなど、縁の下の力持ちとなってサーバントリーダー的に、任せたひとを支えることが場面によっては必要となる。

会社にとって既知のことを、その職務にふさわしいひとを発見するために任せるのは、選抜・配置の問題で、セル5に入る。色々なセクションを任せることで適材適所の理想に近づけるし、任される本人にとっても、その仕事が自己発見につながる。

「任せる」ことのタクソノミー（体系的分類枠組み）

目的（何のために「任せる」か）＼事業・業務・仕事の知識（「任せる」側にとって）	既　知	未　知
育　成	セル1 例外による管理 技術移転・伝承	セル2 鍛錬 逆向き（上方向）の技術移転
動機づけ	セル3 初期成功経験 垂直的職務拡大	セル4 挑戦・ロマン 企業者精神喚起
発　見	セル5 選抜・配置 自己発見	セル6 人材発掘 戦略的議論 環境探査

出所：『はげましの経営学』（金井壽宏著　宝島新書　2002年　74ページ）

今までタッチしてこなかったタイプの仕事に、最初は慣れずに違和感を覚えても、それがうまくできるようになると、そのひとの仕事のレパートリーのなかに新分野を築くことになる。

発見を目的に未知のことを任せるセル6は、人材発掘を主眼としたアプローチだ。アイデアを公募し、事業化するときに、いい出した本人を責任者にするようなチャレンジ制度はその典型で、新規事業分野を発見するだけでなく、それに適した人材も発見している。

こうしたやり方は、通常よくいわれる「人間尊重の経営」を越えて「人間成長の経営」につながると考えられている。

任されると上を向くヒラメ・パラドクス

ここで「任せる」ことの機微について、やや詳しく述べているのは、うまく任せることができれば、過剰管理を防ぐヒントのひとつになると思われるからだ。任せるというのは、日常的によく聞く言葉だが、今見てきたとおり、奥行きが深く、バラエティのある使われ方をしている。

また「任せる」の研究では、驚くべき事実も明らかになった。任せたつもりが、かえって上司に依存的になったというパラドキシカルな現象が垣間見えたのだ。過剰管理に陥らないために「任せる」といっておきながら、結局任された側を、より巧妙な形で縛るようなことが現実に起きている。このことを、十数年前に行った研究に即して、簡単に紹介しておこう。

調査は、情報・教育関連の会社で実施された。業務として教育にタッチしている会社だということもあり、学校を出て会社に入ったばかりの新人に、しっかり社員教育がなされているかどうか気がかりなので調べてほしいというのが、調査依頼の趣旨であった。

そこで、調査を実施した年度の新人社員１００人すべてに対して、質問調査を行うのと並行して、会社に入った直後、何にとまどい、何をもっと知りたく、どのような情報源が有益だったか、といった定性データも綿密に調べ上げた。

39 ヒラメな人

調査からは、たとえば、新人にとって大事な情報をもっているひとへのアクセスが難しいなどの問題も見つかったが、いちばん深刻だったと私が思ったのは、新人に仕事を任せると、その新人は上司や先輩、職場は異なるが目をかけてくれるメンターに目を向けてしまい、外部者との接触機会をないがしろにする傾向があるということだった。この行動を、任せるとかえって上に目がいってしまうので、[39]「ヒラメ・パラドクス」と名付けてみた。

インタビューデータからは、具体的に以下のような声が拾われた。

「任されると、上司の思っていることを聞き出したくなる」
「任されたのにアイデアがなければ、焦って上に聞く」
「社外からアイデアをとってきても、上司に通らない」
「会社では達成圧力がかけられ、スピードが要求されるので、新人は適応するために要領をおぼえ、任せた上司の狙いやアイデアを引き出そうとする」

それにしても、過剰管理ではなく、任せているのに上を向くとはどういう心理メカニズムだろうか。現場の声を分析すると、このパラドクスは以下のステップに要約される。

①仕事の自律性が高く、分権化された職場が形成されている。しかし仕事の達成に対する圧力は強い。
②上司は新人に工夫の余地を与え、大きく任せる。同時にそれなりに達成圧力・納期圧力をかける。

③新人は顧客や外部関係者の声を聞く時間的な余裕がなく、会社としても新人が直接、外部者と接することをあまり奨励していない。
④新人は自分なりに工夫してアイデアを練り、提案書を何とか作成する。
⑤上司は提案書をしばしばボツにする。
⑥ボツにされる基準が新人にはわからないので、上司が一体何を望んでいるのかを探ることに、より敏感になる。
⑦仕事に慣れてきて、大きく任せたと上司にいわれると、かえって（顧客の声よりも）上司の腹案を探るべく、お伺いを立てるようになる。
⑧任されると、まず上司に探りを入れ、方向付けを知るのが、提案がボツになりにくい効果的な方法だと新人は学習し始める。
⑨上司が新人に任せるほど、新人は上を見るパラドクスが生じる。

要するに新人は、任せたといわれても、仕事にかかわる情報蓄積も情報処理能力も、また経験量も足りないので、不安や心配に襲われる。心配菌が働くのだ。そのことは悪くないのだけれど、任せたといわれるほど、上司の腹を探りたがるようになる。文字どおり、腹案がその腹に隠されているのなら聞き出したいと願っての行動だ。

ヒラメ・パラドクスはこの会社だけに見られる特異な現象なのか、あるいは組織に適応しようとする新人に特有なパターンなのかが気になって、いくつかの企業の役員クラスに別の機会にインフォーマルな聞き取りをしてみた。すると、ヒラメ・パラドクスはそこかしこに見られることがわかった。

たとえば支店展開をしているサービス業の会社で、「支店長の自主責任経営に任せる」という方針が徹底されたとき、任された支店長のなかには、多方面への情報チャネルの感度を高めるひともいるだろうが、「本部は何を考えているかがよけいに気になる」というひともいる。

実際に、その会社の社長が語ったところでは、支店長クラスの成熟したビジネスパーソンでさえ、社長が大きく任せたといえばいうほど、社長や本部は何をしてほしいのだろうかと勘ぐるというのである。その結果、任せたといっているのに、「管理をしてくれ」といわんばかりの行動に自ら出ることになる。

管理されているほうが安泰なのだろうか。この社長は、はっきりと「ヒラメ・パラドックスは新人だけの問題ではありません。任せるとかえって上を見るという現象は、ベテランの間にも生じます」といわれた。

先ほどの「任せる」の類型でいうと、ヒラメ・パラドクスは、既知のことの委譲にかかわるセル1、2、3で起きやすい。「任せた」といいつつ、上司に腹案があることが多く、任されたほうもついつい上を見るクセがつくからだ。

未知のことを委譲している場合は、上司にも腹案と呼べるものはないため、部下に比較的自由にアイデアをつくらせるだろう。しかし調査が示唆したとおり、任せた側の上司がその立場を貫かず、アイデアをボツにするようなことがあれば、やはり部下はヒラメになってしまう可能性がある。

繰り返しになるが、本章の始めでも述べたように、マネジメントの定義は「他の人びとを通じて事を成し遂げること」だから、マネジャーがすべてを抱え込んでよいはずはない。しかし、「任せた」といいつつ、それが「自分の手を汚さない管理」になってしまうと、いかにもずるい印象がぬぐえない。

岸良さんが松下幸之助氏の名言として取り上げた「任せて任せず」についても、もう一歩踏み込んで考えてみたい。松下では幸之助氏以来の伝統で「要望追求すること」と「ミッションを伝えること」も重視している。上司は部下に任せたからといって放任にするのではなく、要望はちゃんと追求する。また、任せる前にはミッションをきちんと伝え、仕事に込められた思いや志を部下に理解してもらって、使命感をもって取り組んでもらう。この2つが丁寧に行われてこそ、「任せて任せず」は成り立つ。

ついでにいうと、「要望追求」と「ミッションの共有」は、わが国のリーダーシップ研究の大御所だった三隅二不二先生によるPM理論とも符合する。三隅先生はリーダーシップという現象を、タスクの達成に直結する行動（P：パフォーマンス）と、集団の維持にかかわる行動（M：メンテナンス）の両面でとらえた。P行動はさらに「圧力P」と「計画P」に分けられる。リーダーがフォロワーに対して要望追求するのが圧力Pであり、ミッション達成に向けての計画を示すのが計画Pに当たる。

ハードな鍛練の機会

多くの場合、経営幹部は、ハードな試練の機会、つまり修羅場をくぐりぬけ成功させた成功体験をもっている。それだからこそ、今、経営幹部の立場にいるともいえる。自分も若い頃そういう経験をしてきて、ここまでなれたのだから、「みんなにもできるのだ！」と語りかけ、社員にもそれを求める。「強靭なひとでないと耐えられそうもない」試練は、文字どおり、「強靭でないひと」には耐えられない試練である。

ハードな試練は「強靭なひと」には一皮むける貴重な機会かもしれないが、「強靭でないひと」、我々のような普通のひとにとっては、重すぎる責任のなか、心配菌が増殖していくことになる。心配で、心配でたまらなくなる。それが過剰管理の温床にもなっていく。

そんな私自身の経験をデフォルメして表したのが「木掛係長のものがたり」なのだ。

不確実性と情報量、そして組織設計の関係

続いて、ちょっと別の角度から、過剰管理にはまらない手立てを見ていこう。以下に紹介する組織設計の理論はやや表現が硬いけれど、知っておくと、実践にも役立つと思われる。

ジェイ・R・ガルブレイス（経済学者ジョン・ケネス・ガルブレイスとは別人物）は、組織とは情報処理システムであり、組織機構をどのように設計するかは、不確実性と情報の問題にかかわるとの考え方に立って、組織設計のモデルを提示した（『横断組織の設計』梅津祐良訳　ダイヤモンド社　１９８０年）。

その理論において、不確実性は「あるタスクを遂行するのに必要な情報量が、その組織（もしくは組織の下位単位）がすでに保有している情報量を上回る度合い」と定義される。

不確実性は、①アウトプット（製品やサービス）の多様性が大きいほど、②インプット（原材料、部品や設備、異なる技術的専門家）の数が大きいほど、③めざす業績の目標水準がより困難なほど、大きくなるとガルブレイスは考えた。

不確実性が大きければ大きいほど、組織は一定の業績を上げるために、より多くの情報を処理しなければならない。このことからガルブレイスは、組織機

構や組織形態のバリエーションは、次の3つの要因に依拠すると見た。

- 事前に計画を立てておく能力を増大させること
- 事前に計画できないような状態に適応的に対処する柔軟性を増加させること
- 生存し続けられる範囲内で、目標とされる業績水準を緩和すること

3つの要因のうちどれが重視されるかは、不確実性の度合いとそれぞれに要するコスト（および経営者の考え方）による。113ページに掲げたモデルを見ながら、ガルブレイスの理論について話を進めていこう。

業務をきちんと進めようとする場合、最も単純な方法は、規則や手順を決めておくことだ。しかし、どんな組織でも想定外の事態に直面するものだし、ルールや標準業務手順だけでは解決がつかない場合もあるため、そういうときは、階層が下のひとは自分より階層が上のひとに上申（問い合わせ）する。これは先に挙げた「例外による管理」と同じだ。

不確実性がさらに高まって、例外の生じる頻度が増すと、下位者から上位者への問い合わせの頻度も過大になる。そうなると、下位者から上位者への問い合わせの情報量が増えすぎ、組織階層がパンクしてしまいかねないため、意思決定の裁量権を組織の下位に移さなくてはならなくなる。

現場に大きく任せたからには、望みどおりの成果が生まれるようにコントロールする必要性が出てくる。そのコントロールは、ターゲットや目標の特定化によってなされる。こうして仕事の進め方は現場に任せるが、設定した目標

がきちんと達成されているかどうかについては、上位者がコントロールするという組織状況が生まれる。この段階で、組織は、作業者が規則や手順どおりに働いているか監視するコントロールから、責任に基づくコントロールに移行している。後で詳しくふれる「目標による管理」にも通じる考え方だ。

しかしながら、不確実性がさらにもっと増大すると、ターゲットや目標の設定とて万能薬ではないことがわかってくる。その場合もまずは、例外が起きたときと同様、上位者へのお伺いが立てられる。それで調整が効けばいいのだが、上申がたび重なると、再び、階層は情報負荷によってパンクしそうになる。そうならないために、ガルブレイスは4つの代替案を示した。

代替案1を「スラック資源の創出」という。スラック（slack）というのは、先述したように微妙な英語で「余裕」と「緩み」の両方を意味する。新規事業や多角化の資源になりうるという意味ではポジティブだが、フルに使われていない資源が存在するという意味では放漫経営につながる危険性も意味し、ネガティブに響く。

ガルブレイスが考えたスラックとは、期待する業績水準の緩和によって、情報負荷の元となる例外の発生頻度を抑えるということだった。目標を低く緩めて、現場に余裕をもたせれば、階層を通じた上申は減る。ただし、スラック資源の捻出にはコストもかかる。情報負荷の低減に、コストに見合った価値があるかどうかの判断が問われる。

ガルブレイスの組織設計のモデル

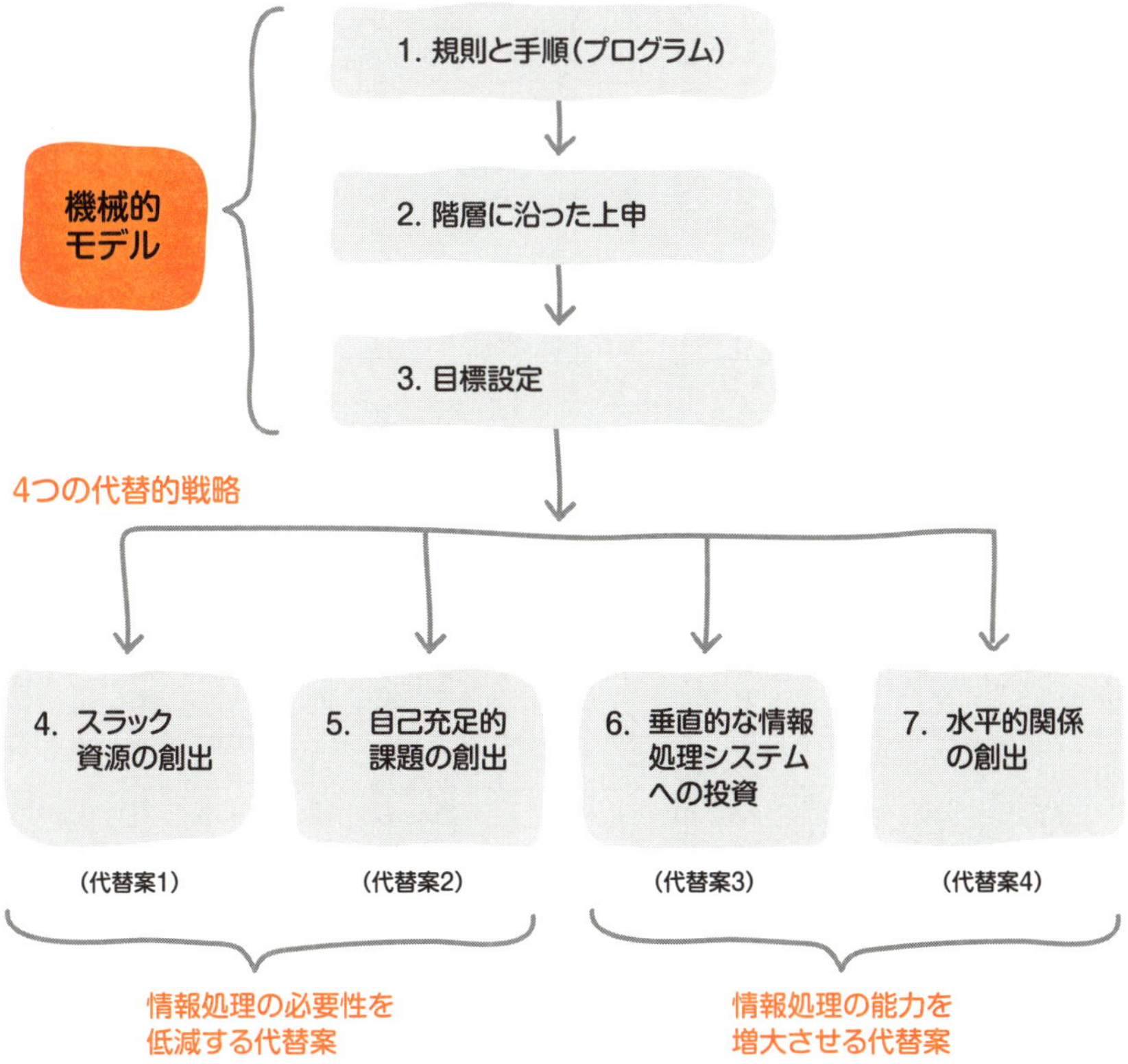

機械的モデル
1. 規則と手順(プログラム)
2. 階層に沿った上申
3. 目標設定
4つの代替的戦略
4. スラック資源の創出
5. 自己充足的課題の創出
6. 垂直的な情報処理システムへの投資
7. 水平的関係の創出
(代替案1)
(代替案2)
(代替案3)
(代替案4)
情報処理の必要性を低減する代替案
情報処理の能力を増大させる代替案

(出所)　Jay Galbraith, *Designing Complex Organizations*, Addison-Wesley,1973,p.15.
(『横断組織の設計』梅津祐良訳　ダイヤモンド社　1980)一部変更。

代替案2は、「自己充足的課題の創出」と呼ばれる。自己充足化とは、インプット・資源・技能・専門領域（職能分野）に基づく分業や権限を、アウトプット・顧客タイプ・地域別の分業や権限に移行させる組織設計を指す。自己充足的な組織の下位単位には、特定の製品や顧客群や地域に必要なあらゆる職能が内包されることになる。

自己充足的単位の創出によって情報処理の必要性が減じられるのは、アウトプットの多様性が減らされ、分業の行き過ぎが抑えられるためだとガルブレイスは説明する。これにより、代替案1と同じように、例外が起きる頻度を抑制し、そのことによって過度の情報負荷を緩和するわけだ。

代替案3は、「垂直的な情報システムへの投資」だ。端的にいうと、ＩＴ（情報技術）への投資だが、ガルブレイスの原著が１９７０年代初めに書かれたものであることを考えると、まことにもっともなことだと思う。

しかし今、我々が知っているのは、いくらＩＴが進んでも、フェース・トゥ・フェースのコミュニケーションはとても大切ということだ。タテ方向にもヨコ方向にもナナメにも、そして対外的にも。社内では、クロス・ファンクショナル・チームという部門横断組織が、カルロス・ゴーン以降の日産で有名になった。

そこで最後の代替案4に、ガルブレイスが挙げたのは「水平的関係（ヨコのつながり）の創出」である。ヨコのつながりを重層的につくり出せば、いちいち組織の上層に問い合わせをしなくても、現場同士が相互に協力しあえる。人びとのインフォーマルな直接的接触もそうだし、タスク・フォースやプロジェクトマネジャーを任命して、異なる部門間のヨコの連携をフォーマルな形で図る場合も、これに該当する。これが本書で扱っている世界に他ならない。

図を参照してもらえればわかるように、代替案1と2は情報処理の必要性を低減する方法で、代替案3と4は情報処理の能力を増大させる方法だ。

また、2、3、4は「分化に応じた統合」という考え方でくくれる。組織は発達していくにつれて、環境の複雑性や多様性に対処するため、おのずと下位単位が分化していく。分化した単位の間には「組織の壁」ができるので、それらを統合するメカニズムが必要になってくる。分化しても統合がなければ、同じ会社で活動している意味がない。いろんなひとがいて、いろんな活動があって、みんなが統合されているところがミソだ。

8 過剰管理の緩和剤
表と裏のマネジメント

決めたことを決めたとおりにやってもらう表マネジメント

本章をしめくくるにあたって、私自身がかつて「ニューウェーブ」と名付けて探求してきたマネジメント・コンセプトについてもふれておこう。

マネジメントとは、みんなを苦しめて自分が楽をすることでもなければ、逆に自分がすり減ってまで部下たちにこびる世界でもない。そこで、それまでにないマネジメントのあり方はないかと私なりに模索を続け、たどりついたのが「表と裏のマネジメント」の考え方だった。

決められたことを決められたとおりにひとにやってもらうこと、そのための管理を「表マネジメント」と仮に呼ぶ。経営学百年の歴史における「システム・タスク・仕組み」の軸はこちらの世界とかかわりが深い。こちらは冷静な世界だ。

みんなでなんとかやってみる裏マネジメント

他方、「みんなでなんとかやってみる」というマネジメントのありよう、未知のテーマに向かっていく挑戦を支えるようなマネジメントを「裏マネジメント」と呼ぶ。こちらは学説史的には「ひとの問題」として扱われることが多かった世界だ。必然的に、熱い世界、ややこしい世界である。

表マネジメントは、ビジネスに不可欠なメインストリームだ。決められたことを何ひとつうまくできなくて、革新、革新と叫ぶだけの組織では、せっかくのアイデアも実現されない。表マネジメントは革新的組織にさえ必要だし、表があるからこそ、裏マネジメントが生じる余地がある。

裏マネジメントは、表マネジメントとは違う種類の管理で――およそ管理らしくない管理だが――目標そのものを一緒に探したり、手順がわからないテーマに取り組んだり、試行錯誤したりすることだ。たとえば研究開発やプロジェクトの現場での「闇研究」「闇プロジェクト」をイメージしてもらうといい。

いつだったか、そう説明すると、ある化学メーカーで技術を統括しておられた役員に「確かに研究開発部門は裏マネジメントに近い世界だと思うが、裏でこそこそ悪いことをやっているわけではないので、その人聞きの悪いいい方はやめてくれ」と苦情をいただいた。しかしアメリカでも、水面下で推進する仕事を「密造酒造り（ブートレッギング）」「スカンクワーク」などと表現して肯定的にとらえている。私があえて「裏」と呼ぶのは、従来の理論に欠けていたシャドーの部分を照射しているからだ。

裏マネジメントの世界には、階層が上のひとのほうが知識でも優位だという発想はなく、みんなが一緒に何かにトライすることから新しい知識を創造しようとする。

表マネジメントでは権限によるパワーが行使されるが、裏マネジメントのマネジャーは議論をリードする触媒の役割を果たすひとが重宝される。

また表マネジメントが曖昧さを嫌い、心配菌にとりつかれてでもきちんとやろうとするのに対し、裏マネジメントでは曖昧性は不可避だと覚悟されている。未知の領域とは曖昧そのものであり、だからこそ面白いことが起きるという考え方をとる。

きちんとやる表マネジメントと創造性を発揮する裏マネジメントは、今ふうに考えると、よく聞くようになった「リーダー」と「マネジャー」の対比に関わっている。もちろんこの二側面は両立しうるし、させなければならないと私は考えている。別ないい方をすると、決められたとおり決められたことをきちんとやっているだけではうまくいかないことが、組織には必ずある。

プロジェクトのマネジメントはまさにそうで、何をいつまでにどうやるのかが決まったら、きちんとやれるひとがマネジャーにならなくてはいけないし、

表マネジメントと裏マネジメント

表マネジメントと裏マネジメント 対比表	
表マネジメントの仮定	裏マネジメントの仮定
●自分ではなく、他の人びとに動いてもらう	○みんなでなんとかやってみよう
●なすべきことの中身は決められている	○やりたいことを主張し、自己の成長に挑戦している
●上に立つものの知識的優位	○メンバーのほうがよく知っていることもあるという認識
●マネジャーが考えた 1 つの正解を押しつける	○ともに考え、みんなで納得できる解を探す
●権限のひと	○議論のリーダー
●組織にたまった知識の利用	○活動やネットワークを通じて生み出される知識
●曖昧性の低減	○議論、実験のきっかけとなる曖昧性
●「権限と責任の一致」の原則を守る	○原則を生み出せるような能力
●上司のいったとおりにする	○上司のいったことを検討、賛同、批判、議論をする
●組織知識へのアクセス権による階層	○互いに異質の知識を提供しあうネットワーク
●例外による管理という発想	○未知への挑戦という発想
●何でも知っている	○知らないことを知らないと自覚
●唯一最善の方法を与えようとする	○「私にもわからない。いっしょに考えてみよう」といえる勇気
●「決定に対してなるべく抵抗しないで受容してほしい」という発想	○「意志決定の質を高める成熟した人間資源として成長してほしい」という発想

同時にそのひとには夢を見られるひとでもあってほしい。

このように、プロジェクトの進め方を、表もしくは、きちんとしたマネジメントの面からだけでなく、裏もしくは、リーダーシップの面からも見るというのも、過剰管理の緩和剤のひとつになるかもしれない。

管理することと、現場に任せることを対立項のままでとらえているのもよくなくて、そういうひとがいたとしたら、プロジェクトマネジメントの本当の達人とはいえない。この点については、ＰＡＲＴ３で岸良さんに再検討してもらうことにしよう。

過剰管理の処方箋

殿

PART3

自然にみんながやる気になるマネジメントの方法

かんき薬局

1 「管理する」と「現場に任せる」のジレンマ

いつしか過剰管理に陥って……

心配で心配で仕方がないので、つい管理したくなるのはひとのサガ。金井先生が指摘するように、心配することはけっして悪いことではない。でも、それが行き過ぎると、心配症がひどくなり、ついには、過剰管理に陥ってしまう。

過剰管理に陥ることなく、「任せて任せず」の機微を実践し、管理しながらも、現場に任せていくことを実践する方法はないのだろうか?

もう一度、左ページの対立の図を見てほしい。目標達成につながる2つの必要条件を見てみると、

- プロジェクトが成功するためにはちゃんとアクションを進める必要がある
- プロジェクトが成功するためには現場がやる気になる必要がある

「管理する」と「任せる」の対立

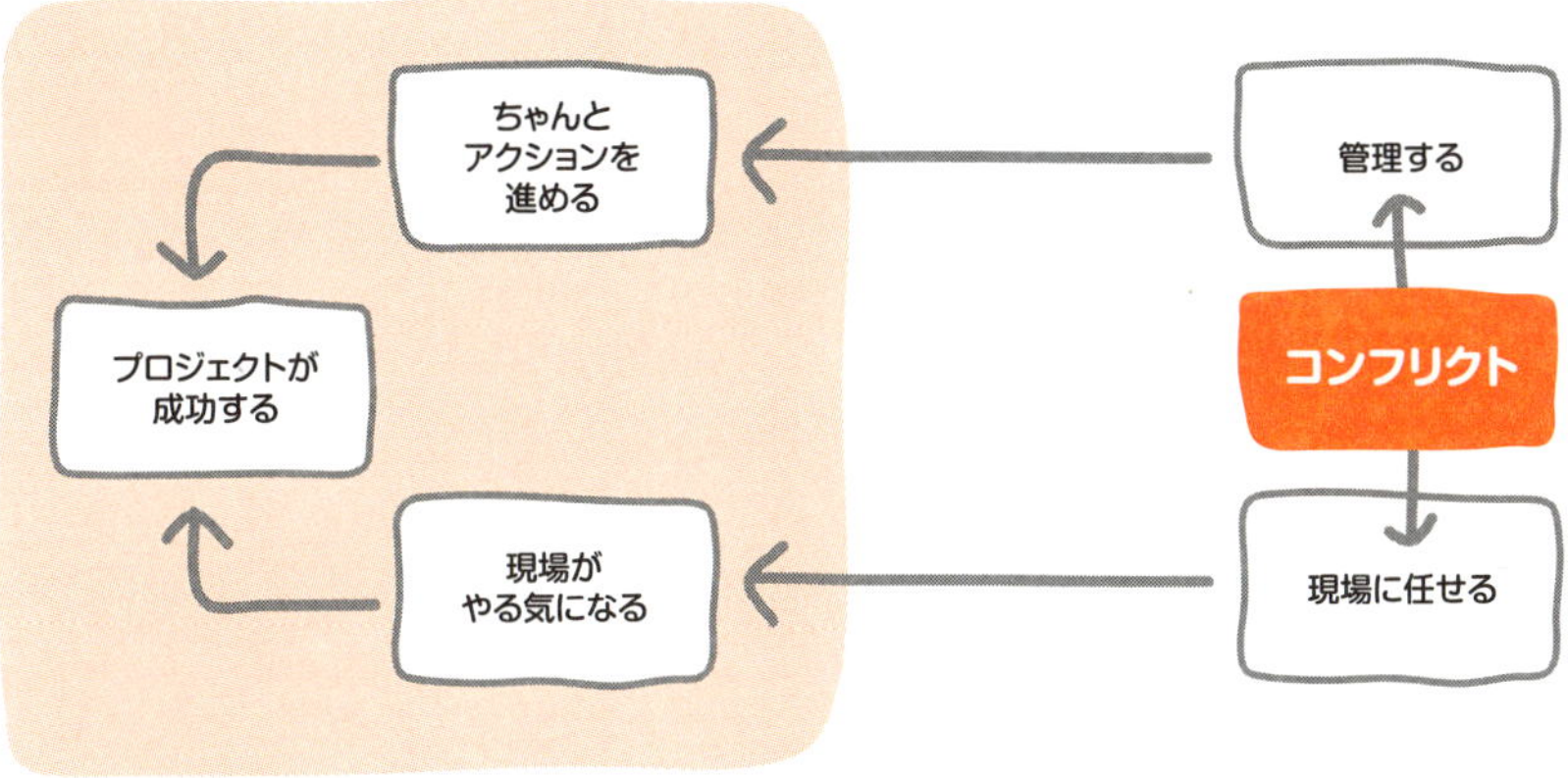
管理する
コンフリクト
現場に任せる
ちゃんとアクションを進める
現場がやる気になる
プロジェクトが成功する

となる。「ちゃんとアクションを進める」のも「現場がやる気になる」のもプロジェクトが成功するためには欠かせない。そこに対立はまったくない。それどころか、現場がやる気になって、ちゃんとアクションを進めることは、目標を達成するための必須の条件のようにも思える。

とくに不確実性の高いプロジェクト、そして専門性の高い分野になればなるほど、現場で起こる様々なことについて、現場が事情を一番知っているのだから、現場で判断せざるを得ないことが多いのではないだろうか。

経営のスピードが重視される現在、現場がいちいち経営トップにお伺いを立てながら、判断をしていくのは実務上きわめて難しいような気がする。でも、一方で、ちゃんとアクションができているか、心配になるのは仕方がないこと。それが重要プロジェクトであればあるほどなおさらだ。心配になればなるほど、つい管理に走ってしまい、気がついてみると過剰管理に陥ってしまう。

前ページの図をじっくりと見ていくと、面白いことがわかる。対立しているのは、ちゃんとアクションを進めるためにとるアクションとしての「管理する」と、現場がやる気になるためのアクションの「現場に任せる」、この部分が対立しているのだ。

ここで、金井先生の挙げたカマスの実験の小咄が大きなヒントになる。ガラスにあたるものは何だろうか？　そもそもガラスそのものに問題があるのではなく、「ガラスがある」という〝思い込み〟がカマスが餌にありつけない理由なのかもしれない。同じように我々も、思い込みを打破するだけで、突破口が見つかるかもしれない。

「任せて任せず」を解き明かす[40]

本当に「管理する」と「現場に任せる」は対立しているのだろうか。対立しているとすると、それはどんなときだろうか。ちゃんとアクションを進めるた

40　この考察の方法は『全体最適の問題解決入門』に書いてある「相自時妙」という対立解消法だ。「思い込み」をあぶり出し、それを解消することによって目から鱗の解決策を出す方法で、きわめて簡単に実践でき、効果は非常にパワフルだ。

めに「管理する」ことだけが解決策だと思い込んでいないだろうか。やる気になるために「現場に任せる」ことだけが解決策だと思い込んでいないだろうか。なんで、「管理する」と「現場に任せる」ことだけがアクションと思い込んでいるのだろうか。そもそも、「ちゃんとアクションを進める」ことと「現場がやる気になる」ことを満たすような方法は本当にないのだろうか。

これらを頭をひねって考えてみると、大きな疑問がわいてくる。

ちゃんとアクションを進めるために、本当に管理しっぱなしにしなければならないのか？[41]

管理しっぱなしにしなければいけないという思い込みによって、もしかしたら、過剰管理が引き起こされているのではないだろうか。

管理は、本来、目標を達成するために行うべきものだ。それならば、ちゃんとアクションが進められ、目標に向かって進んでいる限り、現場に任せても問題はないのではないだろうか。いい換えれば、問題があるときだけ、つまり例外のときだけ、手遅れになる前に、マネジメントが現場を支援できるようにすればよいのではないだろうか。

これが可能なら、心配しすぎて、過剰管理に陥るのも防げるどころか、現場も、問題がない限り作業に集中でき、いざというときにはマネジメントの支援が得られるという安心感の中で仕事が進められるようになるはずだ。

41　この疑問は金井先生と一緒に議論したときに金井先生が指摘したものだ。いつもながら鋭い洞察に感動してしまう。

「任せて任せず」の例外による管理

「ちゃんとアクションが進められ、目標に向かって進んでいる限り、現場に任せて、問題があるときだけ、手遅れになる前に、マネジメントが現場を支援できるようにする」

この課題を改めて考えてみると、問題のないときには、「任せて」モードでマネジメントし、問題のあるとき（またはありそうなときに）、「任せず」モードでマネジメントするということになる。

いうのは簡単なことだが、実務でやるのは本当に難しい。

とくに頭の痛い大きな課題は、どんなときに「例外」でないと判断し、問題ないから「任せて」おけるかということだ。

金井先生が指摘するように、心配するのはひとのサガ。さらにマネジメントの方々には心配症の方が多いと聞く。心配症だからこそ、先の先を読んで未来に向かって積極的に働きかける。しかも、リスクを予測し、それを事前に見事に回避し、すばらしい実績を上げ続けてきたからこそ、今のマネジメントの立場になっているのだ。

ちなみに

TOSHIHIRO

心配症のベンチャー経営者

TSUTAYAを起こしたカルチュア・コンビニエンス・クラブの経営者、増田宗昭さんは「ベンチャー経営者ほどリスクマネジメントを一生懸命やっているひとはいない」と私に話してくれた。ベンチャーと聞くと、向こう見ずなイメージを勝手に抱きそうになるが、増田さんは「私はとても心配症です」と飾り気なく自己分析していた。

心配症でないベンチャー経営者もいるだろうから、すべてがとはいえないが、心配症のひとほど、打つべき手はすべて打つぐらいの構えでリスクマネジメントをきっちりやるだろうから、成功したベンチャー経営者に心配症が多いという指摘はうなずける。より遠くまで見すえて心配している分、自信をもてたときはより遠くまで跳べるような振幅をもった行動をとれるのかもしれない。

マネジメントは普通のひとより、もっと心配症だ。そういう方々に、無理にこらえることなく、自然に心配を抑えて、ゆったりとゆとりをもって見守っていけるような安心感のある状態をつくっていかなければならない。

そして、いざというときに、手遅れになる前にマネジメントが現場に手を打てるという状況が同時に担保されないと、マネジメント層は安心して現場に「任せる」ことはできないはず。

心配症のマネジメントの方々が、安心して現場に任せられる状況をつくるのは、並大抵のことではない。たとえ心配症のマネジメントでも、過剰管理に陥らず、安心して任せられる状況をつくるためには、以下のものが必要になってくると思われる。

- マネジメントが安心できる目標と実行計画がある
- いざという「例外」のときにも、マネジメントがゆとりをもって手遅れになるまえに手を打てる仕組みがある

PART2で金井先生が指摘していた、心配しすぎて過剰管理に陥ることなく、例外が生じたときのみ管理する「例外による管理」という考え方を不確実性の高いプロジェクトにおいて実践するためには、これらの事項が欠かせないということだ。しかも、現場がやる気になり、やりがいやはりあいを感じるよ

うになれば最高だ。

次節以降では次の3つに分けて実践的に議論していきたい。

①目標設定
②実行計画作成
③例外のときにも、マネジメントがゆとりをもって手遅れになる前に、手を打てる仕組み

ちなみに

TOSHIHIRO

「例外による管理」と「目標による管理」

「例外による管理」とは、余計な管理はしないように我慢するための考え方であって、例外があったときだけ管理するということは、例外が生じない限り、管理はしないという原則である。

逆に後で述べる「目標による管理」は、目標を常にポジティブに意識することを前提にする。しかし、目標からのズレが予想範囲を上回れば、そこで目標達成のために軌道修正、そのための例外管理が発動される。

2 過剰管理に陥らない！ やる気になる「目標設定」

現場に任すことができ、みんなの達成動機がかき立てられる目標

マネジメントが、安心してメンバーに任せられるような目標設定。それにはなにが必要だろうか。

ただでさえ、心配性のマネジメントである。その方々に安心してもらうのは並大抵のことではない。

理想的には、現場のプロジェクトメンバーが自発的に作成した目標が、「これはすごい！　私がいいたかったのはこのことだったんだ！　こんな目標なら、現場を支援したい！」と、マネジメントの方々の琴線に触れ、モティベーションさえ上がってしまうような目標を作成することが望ましい。そんなマネジメントの姿勢を見て、現場もさらにやる気がかき立てられるはずだ。

しかし、そんな目標を設定するのは、プロジェクトメンバーとしてはナカナカ難しいのが現実。目標だけなら、机上で立てることもできる。でも、達成できないとわかっている目標設定では、メンバーの達成意欲がわいてこない。

実際にやるのは現場のメンバーだ。だから、できるだけ、ラクに達成できる[42]ような目標設定をついしたくなるのも事実。

でもそんな目標では、マネジメントは満足しないし、支援する気持ちになるどころか、むしろ心配で心配でたまらなくなって、かえって過剰管理を加速してしまうことになりかねない。

現場に任すことができて、みんなの達成意欲がかき立てられる目標――というのはたやすいが、そんな目標を設定するのは難しい。

でも、単に質問をするだけで、誰もが簡単にそして和気あいあいとそれを実践できる方法がある。「ODSC」という方法だ。135ページに紹介しよう。

42　つい私の本音を告白してしまいました。でもそれが上司の不安をかき立て、過剰管理を引き起こしていたとは……トホホなのはワタクシです。

ちなみに

TOSHIHIRO

目標設定

実務家の方々に、なにがやる気を左右するかについて内省してもらったり、部下の観察や部下との対話から出てきたキーワードをリストにしてもらって、それがキーワードになる理由をお聞きすると、「任せてもらえた」に劣らず多いのが「目標がしっかりしていた」という言葉だ。いわれてみればそのとおりで、そもそも目標が意識されないと、どこに動いていいかわからない。「任せた」といわれても、明確な目標やターゲットがないと、任されようがない。

ピーター・F・ドラッカーが、目標の設定と結果に基づく評価のシステム化が、組織業績と従業員満足の両方を高めると説いて以来、「目標による管理」(Management by Objectives)には長い歴史がある。

モティベーションの研究者も目標に注目してきた。中心人物は、目標がもつ動機づけ効果を40年間も研究してきたメリーランド大学のエドウィン・A・ロック教授だ。1968年に有名な論文を書いたときも、87年9月18日に来日してリクルート組織活性化研究所(当時)で講演をされたときも(私が通訳をしたのでよく覚えている)、それから最近、アメリカ経営学会で報告をされたときも、いつも目標がテーマだった。

ロック教授の目標設定理論では、目標を次のような軸でとらえている。

・目標の明瞭性　・目標の困難度　・目標の受容　・目標へのコミットメント
・目標の設定者

曖昧な目標は動機づけの効果が弱く、目標には明瞭さが望まれる。たとえば「全力を尽くせ」は勇ましい言葉だが、モティベーションを実際には喚起しない。目標を80％達成しているひとには、「せめて95％までもっていけ」と、相談にのりつつ指示するのがいい。

目標の困難度も問題になる。達成感や成長感などの内発的なモティベーションに訴えたいのであれば、成功・失敗の確率が五分五分ぐらいの困難度がいいことがわかっている。

また目標の納得度が低く、受容されにくいと、目標へのコミットメントはわかない。いつも目標が未達で、しかも60％しかいっていないひとに、上司が馬鹿のひとつ覚えみたいに「来月こそ１００いけ」というぐらいだったら、「まず80を目指そう」といったほうが納得度が高く、コミットメントしやすい。目標が自分のやりたいことか、意味の感じられることか、使命感に基づいているかという目標の質的な性質も、がんばり具合に影響を与える。

部下が自分で設定した目標だったら、自律的に自己決定したものなのでコミットしてもらいやすいが、管理職として部下にどのレベルを目指してもらうかとなると、（過剰管理にならないように気にかけていても）任せっきりでないほうがいい。その意味では、目標設定が部下本人なのか、管理職なのか、共同で行うのかという問題が残る。

部下が勝手に設定した目標でうまくいかなかったら、上司は、その理由を部下の能力不足に帰属させる傾向が高く、逆に、上司が設定した目標に部下が未達だった場合には、理由を部下の努力不足に帰属させる傾向が高いことなども確認されてきている（ロックには、トロント大学のゲイリー・P・レイサムや、シアトルのワシントン大学のテレンス・ミッチェルなど協力者も多く、目標設定理論の研究者たちもひとつに学派をなしている）。

帰属理論と呼ばれるその考え方によれば、業績を左右する要因として人びとが意識する要因には、課題（目標）の困難度、運のよさ、能力、努力の量があげられることが多い。このうち、部下本人にとって前二者は外部要因、後の残りの二者は内部要因であり、外部要因の目標の困難度と内部要因の能力は安定した要因であり、外部要因の運と内部要因の努力投入量は、不安定で変動しうる要因である。

部下の目標を上司が設定してうまくいかなかったら、理由を部下の努力不足に帰属させる傾向があるのは、能力という安定的な要因に帰属すれば、上司の側に部下を見る目がないということになってしまうからだと解釈されている。

関係者全員が集って目標をすり合わせる

ODSC[43]とはObjectives, Deliverables, Success Criteriaの略。つまり、目的と成果物と成功基準。プロジェクトでそれらを明確にするのはいってみれば当たり前のこと。それを難しくすることなく、誰でもできるようにすることが重要なことだ。137ページのフォーマットにあわせて、プロジェクトの目標をみんなですり合わせていくための便利な道具である。

ODSCは、ロジカルに構成されている。Oはプロジェクトを行う目的。Dはその目的を達成するために必要な成果物。そしてSCはプロジェクトが成功したといえるのに十分な条件を明確にしている成功基準である。

Dは必要条件、そしてSCは十分条件。つまり目的を達成するための必要・十分条件をロジカルに議論することになる。

ODSCは、プロジェクト関係者が全員集って作成することが重要だ。プロジェクトはその性質上様々な組織がかかわっている。様々な組織がかかわればかかわるほど、その組織の数だけ、プロジェクトに対する何らかの期待や思惑[44]が存在する。それらを拾い上げて、みんなですり合わせをしておくことは極めて重要である。

まず、目的の議論。ここではプロジェクトの目的をみんなで議論していく。

43　ODSCはAvraham Y. Goldratt Institute, LLPのDeirdre（Dee）B. Jacobさんが名付けたものだ。でも、彼女に話をしたら「目標すり合わせ」の名前のほうがいいんで、世界ではこの名前で統一しようとかいわれてしまった……。

44　この「思惑」ってヤツはとくに要注意だ。言葉に出してはいないけど、それを察しないでおろそかにすると、後で手痛いしっぺ返しがあることもよくある。十分に注意されたし。

みんなでワイワイガヤガヤしながら、自由に議論する。メンバーの言葉は丸めずにそのまま書き込んでいこう。ここでの質問はたった2つだけだ。

「目的は何ですか?」

「他にはありませんか?」

これをずっとみんなで続けていく。もしも、自分のいった言葉がそのままプロジェクト目標であるODSCに入ったらどうだろうか。よりやる気になるのではないだろうか。

議論が煮詰まったら、[45]「財務の視点」「顧客の視点」「業務プロセスの視点」「成長と育成の視点」[46]「経営理念の視点」[47]「社会貢献の視点」が入っているか確認する。ここでの質問も簡単だ。

「6つの視点、①財務の視点　②顧客の視点　③業務プロセスの視点　④成長と育成の視点　⑤経営理念の視点　⑥社会貢献の視点は入ってますか?」

できればマネジメントにも参加してもらい、議論できれば最高だ。経営者の思いがけないアドバイスや期待の言葉が得られて、一同のやる気が一気に高まることもよくある。また、マネジメントからみても、現場の高い目標に感激して、モティベーションがあがり、プロジェクトが成功するために現場を支援したいという気持ちが高まるものだ。

目的の議論が終わったら、次は成果物の議論だ。このプロジェクトで何をつくるか議論していく。ここでの質問も簡単だ。

45 前半の４つの視点はバランススコアカードの４つの視点である。プロジェクトの成功にはステークホルダーの支援が欠かせない。この４つの視点をプロジェクトの中に入れることで、自然に経営者、株主、お客様、営業、マネジャーやプロジェクトメンバーのメリットをカバーするようになる。すると彼らの支援が得られやすい状況になることになる。

46 経営方針を見てみると、これらの視点が網羅された方針がすでに会社の中にあることに驚かれる現場の方も多く、「ウチのマネジメントもよく考えてるんだぁー」っと実感しているプロジェクトメンバーも多い。

これらの経営方針を入れたプロジェクト目標ができると、経営者の心の琴線に触れるような具体的な目標設定になることが多く、結果的に、経営者から「覚えのめでたい」プロジェクトとなり、支援も普通よりももらえるようになることも多いので驚く。ぜひ試してもらいたい。

47 「利他の心」を重視される経営者は少なくない。成功された経営者ほど利他の心を大切にされておられるようだ。プ

ODSC

	コツ	メリット
Objectives 目的	財務の視点、顧客の視点、業務プロセスの視点、成長と育成の視点、経営理念、社会貢献の視点を入れる。マネジメントに見せて了解をとる。	マネジメントが目標をみて安心して任せられるようになる。 マネジメントもモチベーションが上がり、助けたくなる。
	プロジェクトメンバーみんなで参加して議論する。	自己原因性（自分が主役という意識）が入り、メンバーがやる気になる。
	[48]言葉を丸めずそのまま入れる。	自分たちの言葉のほうが燃える
Deliverables 成果物	プロジェクトでつくるものは、上を達成するために必要なものであることが明確になる。	問題があったときに、目的と成功基準のために成果物をどうすればよいかを考えることができる。
Success Criteria 成功基準	目的で上げた一つひとつを丁寧に、成功基準を明確に測定できるように記述する。	目標達成基準が明確になる。

ロジェクトは何が起こるかわからない。だから周囲の助けは欠かせない。たくさんの方々が支援してくれるほど、プロジェクトの成功確率も高まる。利他の心がプロジェクトの中に入っていれば、おのずとたくさんの方々と共鳴できる共通目標をつくれる可能性が高い。それはたくさんの支援を得られることにつながり、プロジェクトが成功する確率が高まるのではないかと考察している。

48 方言などもそのまま記述するようにおススメしている。不祥事の起こった宮崎県の土木部（現県土整備部）職員が県民の信頼を回復するために立ち上がったプロジェクトは「宮崎発！ 公共事業をどげんかせんないかんが！ プロジェクト」であった。このエピソードは『三方良しの公共事業改革』（岸良裕司著 中経出版）のなかの宮崎県の事例で紹介しているので参考にしてほしい。

「成果物はなんですか？」

「他にはありませんか？」

ここでメンバーが一般に気がつくのが、成果物は先に議論した目的を達成するための手段にすぎないということだ。この認識は極めて重要だ。

激しい競争のなか、新商品を開発していたとする。新商品を開発している最中に、競合他社があなたの開発している商品よりもすぐれたものをリリースすることも十分にありうる。そういうときに、もともとの開発品をそのまま開発するだろうか。そんなことはないはずだ。おそらく、競合の新商品を分析して、それ以上のものを開発するようにするだろう。

なぜかというと、このプロジェクトの目的が競合に勝ってシェアを上げることだからだ。開発品という成果物は競合に勝ってシェアを上げるという目的のためにつくる手段だ。手段と目的を履き違えないためにも、目的と成果物の議論は重要なのだ。

次に、成功基準。目的のところの一つひとつの項目について、成功基準をみんなで議論していく。成功基準を数字で表せるものは数字で明確にする。

もちろん定性的で数字で表せないものもある。たとえば、「若手を育成する」というものが、目的の項目のひとつになっていたとする。それについて、成功基準をどう表現するかは議論のあるところだ。

「若手を育成する」という成功基準は本当はなんだろうか。このプロジェクトに参加している若手のA君が成長するということかもしれない。でも、その成功基準は何だろうか。A君がプロジェクトが終わった後に成長したとみんなが感じる成功基準は何か？　それを議論していく。

たとえば、「プロジェクトが終わった後、A君が『次のプロジェクトは俺に任せてください！』と宣言する」とか、「普段は滅多に若手を褒めたことのない X部長に、『ものすごく成長したなぁー！　次も頼むぞ！』といわせる」と書いたらどうだろうか。

こういうふうに表現したとたんに、その光景が目に浮かび、一同がやる気になり、プロジェクトの最中に、苦境にさらされてもA君に「それで、X部長が『ものすごく成長したなぁー！　次も頼むぞ！』といってくれるか⁉」と気合を入れることもできる。定性的な目的こそ、成功基準をきちんと書くことで、メンバーのやる気をより高めることがよくあるのでぜひ活用してほしい。

ＯＤＳＣが全部書けたら、みんなで読み上げよう。そして、こう質問する。

「これができたら最高ですか⁉」

一同の顔が明るくなったらＯＤＳＣは完成だ。

こうやって議論していくなかで、プロジェクトに対するプロジェクトメンバーの集団としての目標と個人の目標が自然に溶け合っていく。そして努力の結果、うまく目標が達成できたかどうかについて、[49]あいまいさがなく、明瞭なフィードバックが成功基準で示され共有された状況となるのだ。

49　この文章は、金井先生の名著『働くみんなのモティベーション論』（NTT出版　２００６年）からの引用。211ページにマクレランド氏が達成動機が喚起されやすい状況の特徴として以下のことを挙げている。
①成功裡に達成できるかどうかは、（運ではなく）努力と能力しだいである状況
②課題の困難度、あるいはリスクが中程度（つまり成功・失敗の主観的確率が五分五分ぐらい）の状況
③努力の結果、うまく目標が達成できたかについて曖昧さがなく明瞭なフィードバックがある状況
④革新的で新規の解決が要求されそうな状況
⑤未来志向で、将来の可能性を予想して先を見越した計画を立てることが要請されるような状況

お気づきになられたと思うが、ODSCの項目はすべて質問によって導きだされたもの。いい換えれば、ODSCに掲げられた数々は、[50]すべてメンバー自身の生の言葉でつくられている。目標に自らの言葉が入っていれば、モティベーションもおのずと上がるもの。こうして魂の入った目標設定ができあがる。

ODSCの項目に挙げられた目標はもちろんだが、現場のモティベーションを見て、マネジメントも安心して見守り、そして支援したい気持ちになるだろう。

ちなみに

TOSHIHIRO

デリバラブルを考える大切さ

ちなみに、というよりちょっぴり脱線なのだが、ODSCのすばらしさのひとつは、デリバラブル（D：Deliverables、成果物）をみんなで考えることだと、岸良さんの話を聞くたびにそう思う。

読者のみなさんは、「あなたの仕事は?」と聞かれて、何と答えるだろうか。たとえば人事のひとなら、「採用です」「給与関係です」「組合対策です」などと答えるのではないか。しかし、これらはどれもデリバラブルではなく、ドゥアブル（doable）、つまり「できること」か「やっていること」だ。

大学の教員でも、仕事の内容を聞かれて、「授業とゼミをやっている」「教

50 金井先生の『働くみんなのモティベーション論』の315ページに、バーナード・ワイヤーの指摘として、「モティベーションとは行為者自身のおこなう因果帰属の問題である」とあり、また、ドゥシャームの自己起因性のモティベーションの説明として、「自分が原因になっているのだと認識している点こそが大切なのだ」と紹介している。

先生の本を読んで、「これにピッタリにハマる実践法がODSCなんだ!」と私は目から鱗の経験をさせてもらった。ホント、いい本です。

授会に出ている」「政府の委員会に出ている」「(誰も読んでないけど) 論文を書いている」などとうかつに答えてしまったら、ドゥアブルを並べているだけで、デリバラブルを何ひとつ語っていないことになる。もっというと、それを口にすれば、働いているふりがなんとなくできてしまうのが、ドゥアブルの困ったところだ。

デリバラブルは、「もたらすもの」「お届け物」ともいい換えられる。だから人事のひとには、その仕事を通じて、社員のひとたちにどういうプラスをもたらしているのか、どのようにひとが育っているのか、会社の戦略にどう役立っているのかなどをぜひ考えていてほしい。

私自身も、授業を通じて学生さんに体系的な知識が身につく、ゼミでは学生さんが自分の頭で考えたり議論する力がつくというようなデリバラブル発想で答えたい。ODSCをゼミ生と議論することも自己原因性(自分たちが主役という意識)の高揚のために大切だろう。誰かに何かいいものを届けているかどうか、これはプロジェクトに限らず、あらゆる場面で大切にしたい発想だと思う。

3 過剰管理に陥らない！やる気になる「実行計画作成」

キーワードは「段取り八分」

マネジメントが安心でき、現場がやる気になる目標が明確になったら、次は実行計画の作成だ。

では、マネジメントが現場に安心して任せられ、しかも、メンバーがやる気になるよい計画作成のためには、何が必要だろうか。よい計画と一言でいうのは簡単だが、なんだろうか。キーワードは「段取り八分」だ。

日本のプロジェクトマネジメントの現場で長年語り伝えられている決まり文句、「段取り八分」。「段取りはプロジェクトの成功の8割を握っている」という日本の現場のすばらしい金言だ。

段取りの重要性を語るこの言葉は、プロジェクトの現場で頻繁に語られるわりにはそのやり方についてどうするかが明確になっていない不思議な言葉でも

科学的段取り八分

10時発の電車に乗るためには

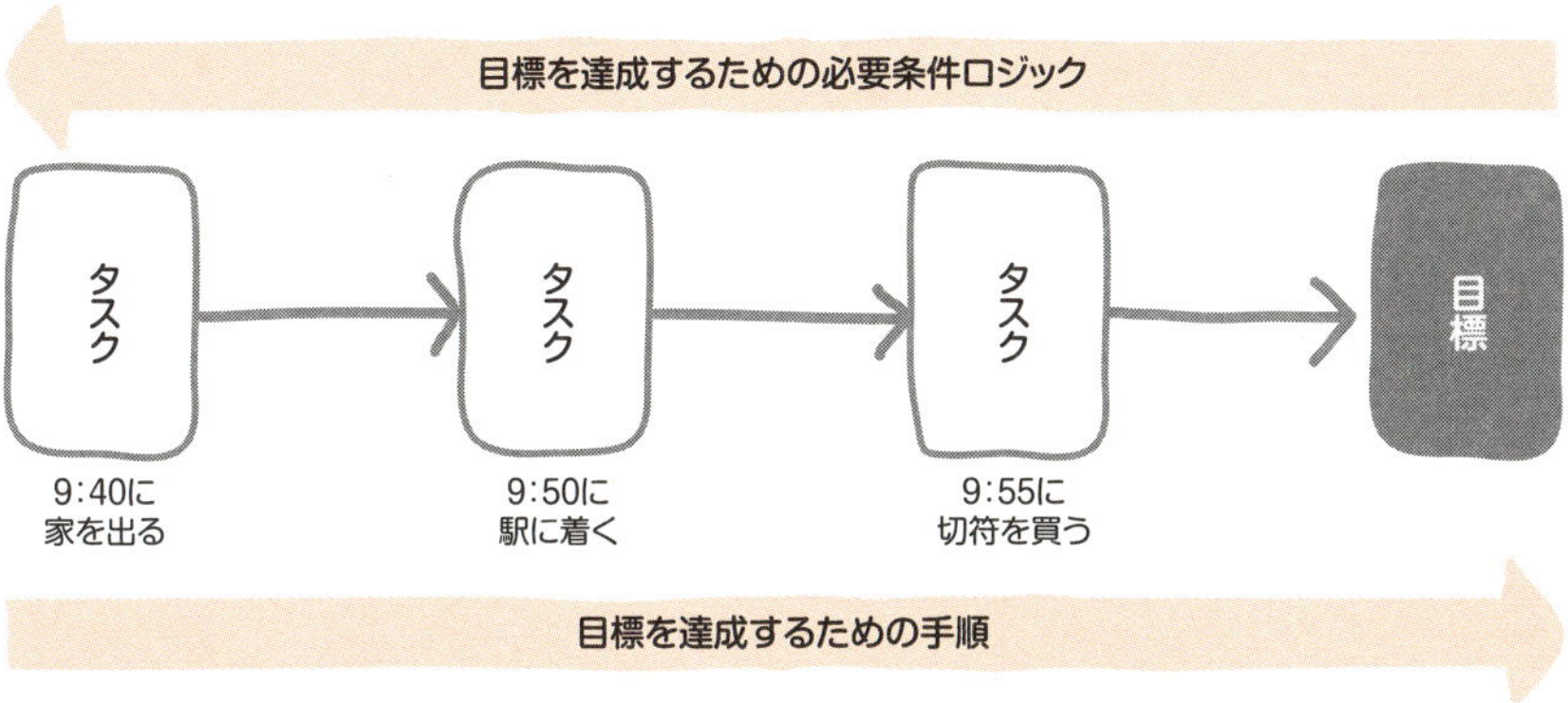
目標を達成するための必要条件ロジック
タスク
タスク
タスク
目標
9:40に
家を出る
9:50に
駅に着く
9:55に
切符を買う
目標を達成するための手順

ある。

　では「段取り」とは何か。広辞苑によると次のように定義されている。

「芝居などで、筋の運びや組立て。事の順序・方法を定めること。心がまえをすること。工夫すること」

　要するにあらかじめ準備をしていくことだ。これはけっして新しいことではなく、我々が日常生活でいつもやっていることである。

　あなたは家にいて、10時の電車に乗りたいと思っている。その場合どう考えるだろうか。

「10時の電車に乗るためには、少なくとも5分前には切符を買っていたいなぁ―。まあ―念のために10分くらい前に駅に着いておこうか。9時50分に駅に着くためには、家から駅まで歩いて10分くらいだから遅くても9時40分には家を出よう。そのためには家を出る準備は10分くらい前には終わっていよう。9時半に準備が終わって、40分に家を出て、9時50分に駅に着いて、それから切符を買って、ホームに着くと10時の電車に乗れるな……よしっ！」

ひとは普通の生活では、[51]目標を後ろから確認して、「そのためには○○しておかなければならない」と考えて計画を練っている。そして、その手順どおりにやると目標が達成できるか確認している。これが人間の当たり前で普通の考え方である。

[52]後ろから目標から遡って議論すると、目標に向かって達成するまでの段取りが、きちんともれなく議論できる。

後ろから議論を進めるのはとても簡単だ。次の3つの質問を繰り返すだけだ。

「この前にやることは何ですか？」
「本当にそれだけですか？」
「○○をすると××ができるんですね？」

これらの質問もロジカルにできている。

「この前にやることは何ですか？」↓ 必要条件のチェック
「本当にそれだけですか？」↓ 十分条件のチェック

51 目標を達成するために後ろから段取りを考えるのは日常生活ではとても自然なことだ。でも、なぜ人は仕事になると自分の目の前の作業から取りかかるんだろうか。不思議だ。

52 Backward Planning——日本語では段取りと一般にいわれるもの。これを実践すると、自然に重要なタスクがどんどんプロジェクトの前に押し出され、そのほうが結果、手直しが少なく、リスクが減って、プロジェクトの工期が短くなると、メンバー一同が認識するようになる。東京大学の藤本隆宏教授が強調されているFront Loadingtと一致していることに驚く。

「○○をすると××ができるんですね？」↓因果関係のチェック

つまり、ＯＤＳＣで作成した目標を達成するために、必要条件、十分条件、そして因果関係でロジックをチェックする。この議論もＯＤＳＣ同様、みんなでやるのがおススメだ。とくに若手とベテランが一緒になってやるとよい。

この手法はたくさんの現場で実践していただいているが、ベテランほどスルスルと後ろから段取りの工程表が引ける。豊富な経験から、頭の中で段取りが簡単にイメージできるのだ。

一方で経験の少ない若手には、これが難しい。前から工程表を引かないとイメージできないことが多くある。目の前の作業に目一杯で、この作業が終わらないと次の作業が見えてこないという考え方があるようだ。

若手が担当する仕事で、ベテランと一緒になって、ＯＤＳＣに基づいて後ろから遡って段取り工程表を引いてもらう。この工程表を作成する議論のなかで、ベテランから若手へ仕事の段取りのやり方が自然に伝承されていく。

後ろからプロジェクトの初めまで工程表を引き終わったら、今度は、前から若手が読み上げながら確認していく[53]。プロジェクトの最初のタスクから、最後までタスクを読み上げることで、本当にＯＤＳＣに書いたことが達成できるか確認していく。

ここでもし不足しているタスクがあったら追加すればよい。すべての段取りについて経験豊かなベテランのアドバイスをもらいながら確認する。読み上げ

53　ファシリテーターは若手がおススメだ。ベテランがファシリテーターをやると現場を説得するような形で議論が進むことが多いが、若手がやると、段取りを間違えたりする。それがかえってよいのだ。間違った段取りほど、過去の痛い経験を思い出させるのか、ベテランを刺激するものはないらしく、ベテランが段取りの間違いを指摘して、なぜ、それを先にやらなければならないかが若手に自然に伝わっていくのだ。

ることで、メンバーの中でコンセンサスをつくりながら成功へのシナリオを構築していくのだ。

この議論は、[54]未来志向で、将来の可能性を予想して先を見越した計画を立てることになり、また、このプロジェクトが成功裡に達成できるかどうかは、運ではなく努力と能力次第であることがメンバー一同、みんなで確認できるのだ。

こうした計画なら、目標と実行計画はわかりやすいし、いくら心配症のマネジメントでも、安心でき、現場に頼もしさを感じるようになり、心にゆとりができて、過剰管理に陥りにくくなっていく。

ちなみに

質問の投げかけ方

私はかつて「組織における疑問の研究」（未完）に取り組んでいたとき、キャリアを積んできた実践家に、今までに疑問や質問の形で提示されたことで、それが深く考えるきっかけになったり、前向きな思考、対話、議論、さらには問題解決に至った具体的な出来事はありますか？　と聞き続けた時期がある。

ある会社のAさんは、自分が研修部の若手だった頃の話をしてくれた。当時、

54　139ページの脚注、金井先生の本の引用を参照してください。

その会社は新人の離職率が高く、そのため、2、3年上の先輩が新人の相談に乗る「インストラクター」と、10年近く上の先輩が同じく相談に乗る「ヤングリーダー」という2つのメンター制度を設けていたのだという。

ところが新人にしてみれば、制度が2つあることでメンターが無責任になったり、インストラクターとヤングリーダーとで指導の中身が食い違っていたりして、困ることも多かった。そのことに気づいた人事担当役員がAさんに提案を求めた。

Aさんはいろいろと調べた末、新人にとっては年齢の近い先輩からのほうが話を聞きやすいとわかったので、「インストラクター制度を残すのが望ましい」という結論にたどりついた。だが、それを人事担当役員に提案しようとしたところ、「君はどうして、両方ともなくすという選択肢を考えることができないのか」と質問を投げかけられ、その質問をずっと覚えていると語ってくれた。

Aさんは後にその会社で役員にまで昇進した。会社のなかでいったんできたものは何らかの機能を果たしているものだと思われがちで、なかなかなくすことはできない。これを「残存バイアス」というが、Aさんにとって、かつて人事担当役員から投げかけられた「なぜ両方なくせないのか」という質問は、「なくて不都合のないものは、すべてなくしてもいいんだ」という大きな教訓を残した。

前出のトム・ピーターズは、よい経営者は、命令・指示をするばかりでなく、「絶えず質問を投げかける」のがうまいと主張し、「ルーチン・クウェスチョニング（常軌的質問態度）」というキーワードを提示し、いつも指示命令ばかりするより、問いかけることが肝心だと強調した。

上司の側の質問の投げかけのうまさは、上司が部下一人ひとりに考え抜いてもらううえで、大事なスキルだと思う。岸良さんの書籍を特徴づけているのも、そういう会話例、とくに疑問形での質問の投げかけ方で、そのことは、読者が岸良さんのセミナーに足を運んでみたら、実際のやりとりを通じて、いっそう強く感じられるはずだ。

私自身はリーダーシップ育成の問題にも取り組む研究者として、コーチングなどの領域でさかんに披露される「会話例」「対話例」が、なぜリーダーシップ育成の場では使用されず、蓄積されず、方法として軽視されているのかを疑問に思ってきた。

リーダーになった人がどんなとき、どのような質問をされたかまでを覚えていれば、有益な質問集ができるのではないか。その点、プロジェクトマネジメントの分野では、岸良さんの連作のおかげで会話例が豊富にあるのは、貴重な先駆けであると思う。

過剰管理に陥らない!
例外による管理の仕組み

何をもって"例外"というか?

ここまで過剰管理に陥らない、やる気の出る目標設定、実行計画作成について見てきたが、ここからは過剰管理に陥らないための例外による管理の仕組みづくりをみていこう。その仕組みが、さらに現場にやりがいをもたらすものなら、よりすばらしいものになるに違いない。

不確実性のあるプロジェクトにおいて、「例外による管理」という考え方を実践するには、「何をもって例外であるか?」という基準が必要である。しかし、繰り返し同じものを生産している大量生産の現場と違って、1つたりとも同じものはないプロジェクトにおいて、何をもって例外というかの基準設定はきわめて難しい。

プロジェクトに不確実性はつきもの。再現のない予期せぬ変更、予期せぬ問題、外部との調整作業に明け暮れているうちに[55]納期はズルズル遅れてしまう。

いい換えれば、何か問題があれば、必ずそれは「遅れ」という症状として「見える化」しているということになる。それを逆手にとって「例外管理」を実践するために「見える化」を利用することもできるということだ。

できるかできないかギリギリ

金井先生が引用した50ページの「日本的経営のギリギリくらいの水位」の考え方は、プロジェクトマネジメントにも活用できる。各タスクの納期を、[56]できるかできないかギリギリの日程で設定したとする。すると予想外の問題が起こると、必ず遅れという形で報告されることになるのだ。

たとえば、左ページのようなスケジュールがある。一番長い納期のタスクをつなげると10日＋6日＋8日＋12日＝36日だ。プロジェクトに不確実性はつきもの。それぞれのタスクの担当者は、決められた期限でタスクを終了しなければならないという責任がある。その不確実性のなかでも、納期を守るという責任を果たすために、それぞれのタスクに担当者が安全余裕をもちたくなるのも無理はない。つまり安全余裕は責任感の裏返しなのだ。

しかし、自分の責任を果たすために、よかれと思ってもった安全余裕が大きな落とし穴になる。

55　プロジェクトのもう1つの大きな問題は予算超過だが、この指標をモニターしながら対処することはなかなか難しい。多くの方々が経験されるとおり、金額の高い部材や材料を使うと予算の消化率は大きく高まり、プロジェクトの予算上は進行したように見えてしまう。
一方で、プロジェクトの多くの問題は、プロジェクトメンバー内では起こらない。お客様やマネジメントの判断の遅れ、さらには、関係者の調整作業など、外部に起因することが多いのが実態だ。

こういう最も大きな落とし穴が予算という金額では表現されず、お金だけ見る場合の落とし穴になる。しかし、納期の遅れということだけをみると、明らかに症状として計画に対する遅れが見える化する。時間という概念は大変パワフルな概念だ。

56　これをAggressive But Possible略してABPと一般的にいっている。

できるかできないかギリギリと安全余裕に分ける

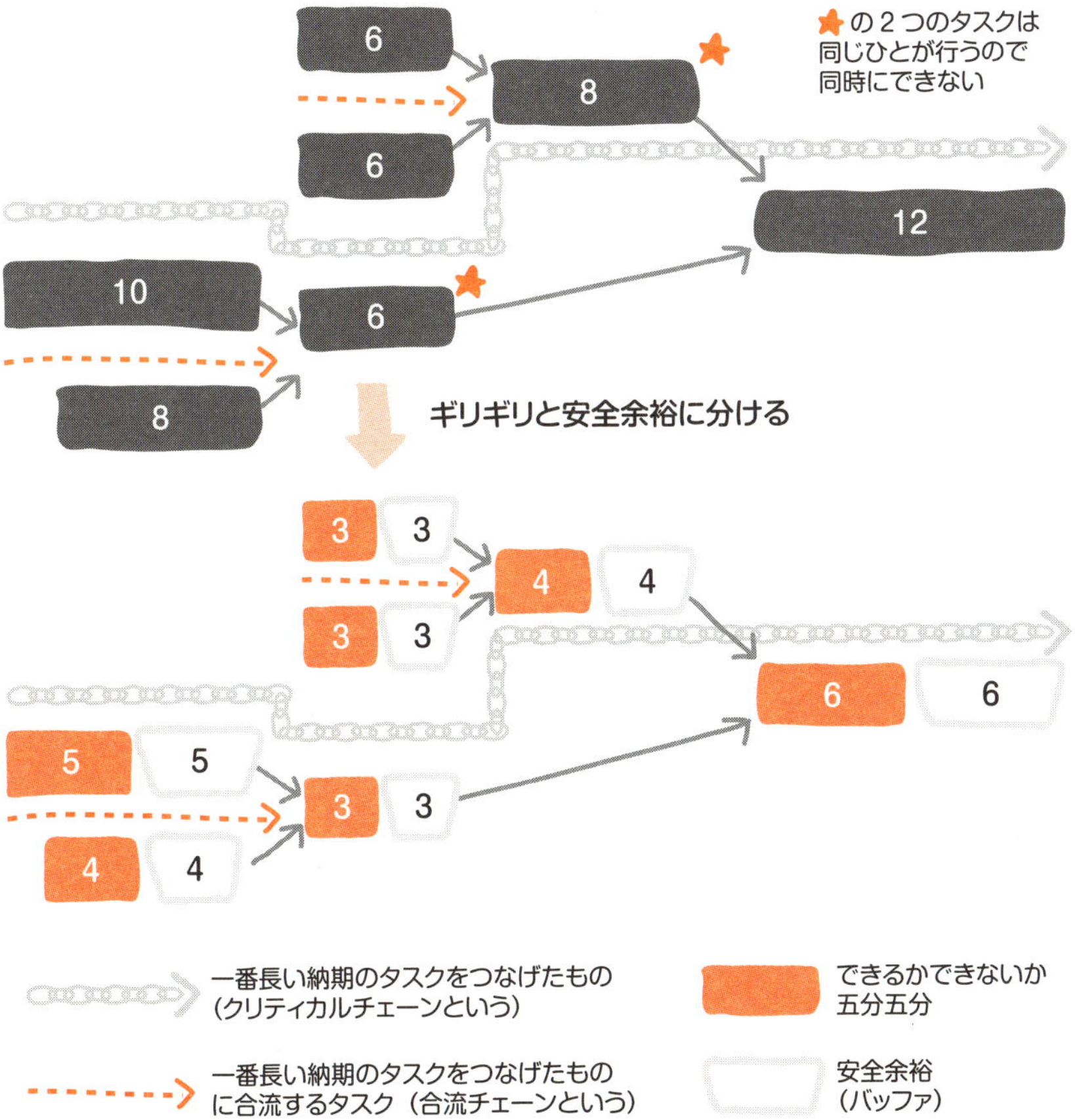

★の２つのタスクは
同じひとが行うので
同時にできない
6
8
6
12
10
6
8
ギリギリと安全余裕に分ける
3 3
4 4
3 3
6 6
5 5
3 3
4 4
一番長い納期のタスクをつなげたもの
(クリティカルチェーンという)
一番長い納期のタスクをつなげたもの
に合流するタスク（合流チェーンという)
できるかできないか
五分五分
安全余裕
(バッファ)

この状態でプロジェクトが進むと、何か問題が起こっても、それぞれのタスクのなかにある安全余裕で吸収されてしまい、問題が起きたことがわからなくなる。問題がわからなければ、それを解決して改善することができない。

そこで、問題を見える化するために、それぞれのタスクに対して、「できるかできないかギリギリの五分五分」の納期と、安全余裕のための「バッファ」に分けるとどうだろう。何か問題があったとき、遅れという形でバッファが消費されるので、問題が「見える化」することになる。

さらに、それら個々のタスクにあったバッファをプロジェクト全体で左ページの図のように共有する。すると、今までは個々のタスクを守るために個別最適でそれぞれがやりくりしていた安全余裕が全体として共有され、全体最適でマネジメントができるようになる。しかも、バッファの量が増えて全体としてのマネジメントの柔軟性が増す。これを「プロジェクトバッファ」と呼ぶ。

ところで、151ページの下の図の最初のタスクをじっくりみてほしい。5日で終わる確率は何パーセントだろうか？　できるかできないかギリギリの五分五分ということは、きわめて厳しいけれど、すべてうまくいったら、半分の5割はそのギリギリの期間内で終わるということ。そして、他の5割はその期間内で終わらずに、バッファという安全余裕を使って対処することになる。

ここでは、5日＋3日＋4日＋6日＝18日のバッファがあるが、使われる可能性はすべて五分五分である。であるならこのバッファを1つにまとめると、数

安全余裕をひとつにまとめる

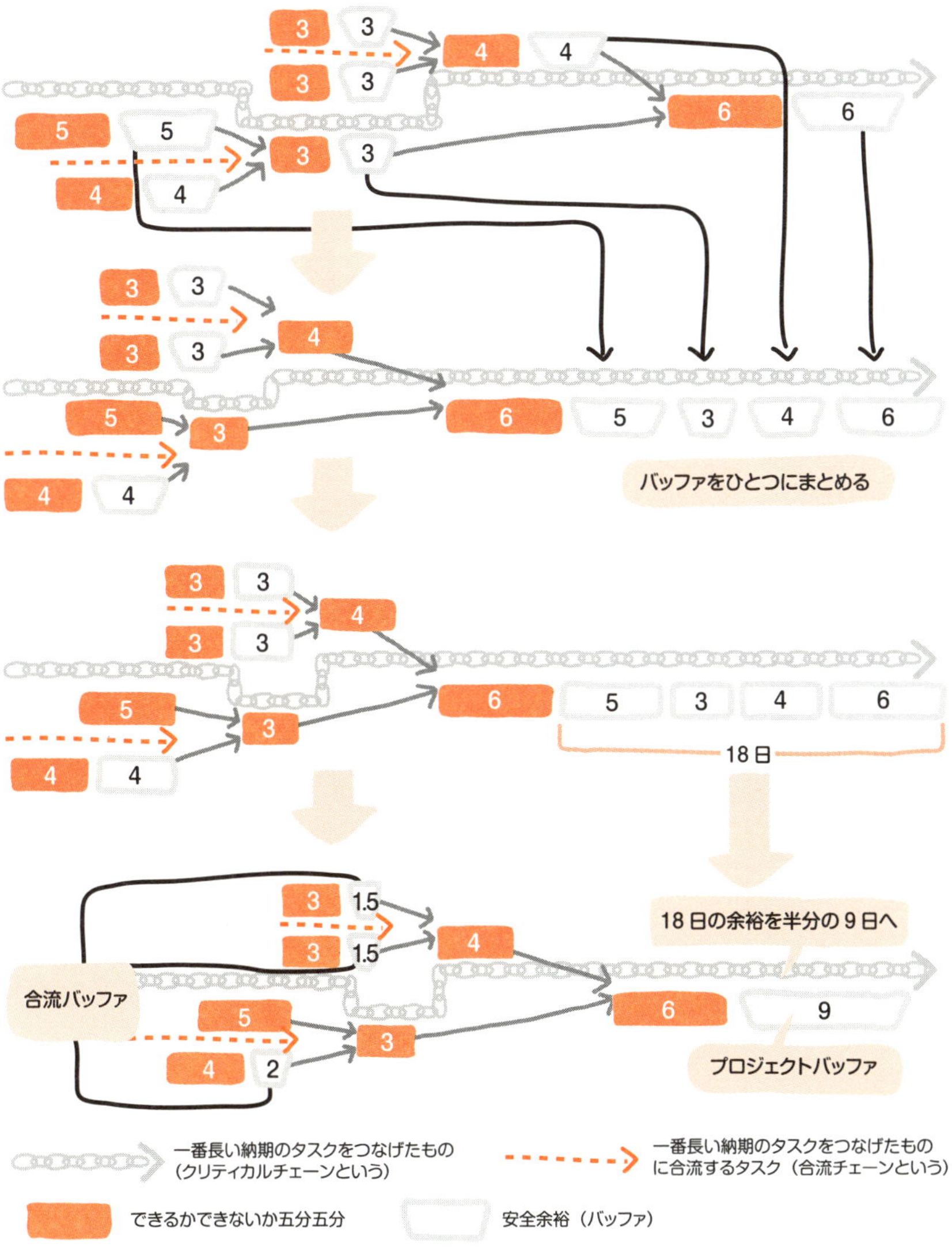

バッファをひとつにまとめる
18日
18日の余裕を半分の9日へ
合流バッファ
プロジェクトバッファ
一番長い納期のタスクをつなげたもの（クリティカルチェーンという）
一番長い納期のタスクをつなげたものに合流するタスク（合流チェーンという）
できるかできないか五分五分
安全余裕（バッファ）

一番長い納期のタスクをつなげたところから出てきたバッファを、プロジェクトバッファとして一番最後にまとめる。その他の、一番長いタスクをつなげたものに合流するタスクについては、同様に五分五分の納期と安全余裕に分けて、154 ページの説明と同じ考え方で、図のように合流バッファとして、合流するタスクの遅れから全体の納期が遅れることを防ぐようにする。

学的に考えれば、18日の5割、9日でも十分ではないだろうか？　すると、元々の36日の納期に対して27日になり、4分の3の納期になることになる。つまり、25％の期間短縮が可能となる。

この計画をみると、できるかできないか[57]五分五分の納期で、[58]しかも安全余裕としてのバッファがついていて、いざというときには守ってくれる。

達成動機が喚起されやすい状況とは「[59]課題の困難度、あるいはリスクが中程度（つまり成功・失敗の確率が五分五分くらい）の状態」といわれる。五分五分の納期にチャレンジしているそれぞれのタスクが、強い達成動機のチェーンでつながっているのだ。しかもその後には、バッファというゆとりがいざというときに構えていて、メンバーは、安心してギリギリの納期にチャレンジできるのだ。

ちなみに

ギリギリの意味

さきほど目標設定の説明でも少しふれたが、目標は成功・失敗の確率が五分五分ぐらいの困難度がいいことが、達成動機の研究で明らかになっている。

よく例示されるのは輪投げの実験で、達成動機の高い子どもに「どこから投げてもいいから」といって輪を10個渡すと、そのうち5個入るぐらいの距

57　建築などのプロジェクトでは、すべての施工を自社のリソースで賄うことはほとんどない。多くのタスクは、専門的な技術をもつ協力業者と一緒に行われる。そういうタスクでできるかできないかギリギリの納期にチャレンジするということは、本当に腹を割って、一緒にどうするか議論しなければならないことになる。そういう議論をすると、協力業者との信頼関係が増し、「よっしゃ！　厳しくてもやってやろう！」って気になってもらえるのだそうである。これは、砂子組の黒島美男さんに教えていただいた。現場は知恵の宝庫であると脱帽だ。

58　このバッファを全部なくしたいという気持ちが出てくることもあろうかと思う。でもそれは、実は2つの理由で逆効果になる。
①プロジェクトに関わるのはひとである。そして責任感を持っている。もしも、バッファがないとなると、不確実性の高い環境の中で、ひとは自らの責任感を果たすために、個々のタスクに安全余裕をもつようになる。それでは、今までと変わらない状況に戻ってしまうことになる。

離でけなげにがんばる。

もっとも、現実の仕事で、目標の達成度が給料やボーナスや昇給などの外発的報酬とつながっている場合は五分五分では辛く、もっと簡単で、思いきりがんばればなんとか到達するぐらいの困難度が望ましい。

ただ、輪投げの実験に説得力があるのは、できるかできないかギリギリ、一番不確実な状況で、ひとは「自分の努力次第でできる」と思えるからだ。誰が投げてもパーフェクトが出るような近くから投げる子はもともと達成動機が高くないし、偶然1個入るか入らないかという距離まで離れて投げるのは、相当おっちょこちょいだ。

情報理論的にいうと、たとえば八分二分は成功確率8割、逆に二分八分だと失敗確率8割だからそれぞれ情報量は多いが、[60]五分五分は最も情報量が少ない。したがって、どっちに転ぶかわからない状況なのだが、どっちに転ぶかが偶然ではなくて努力で決まるというのであれば、内発的には一番、達成動機が刺激される。輪投げをする子どもたちはそうした感覚をよくわかっている。

②もしも安全余裕がない中で、プロジェクトにつきものの不確実性が襲った場合、遅れの時間を取り戻すためには、ひとは自らの体をバッファとして使うことになる。つまり超過勤務という形で現れる。こういう状況が継続的に続くと取り返しのつかない事故にもつながりかねない。

不確実性がないならプロジェクトとはいわない。不確実性があるからプロジェクトというのだ。不確実性に備えるためには安全余裕は不可欠なのだ。その安全余裕を正しいところにもってきて全体最適で活用するのがプロジェクトマネジメントの極意といっていいかもしれない。

59 『働くみんなのモティベーション論』NTT出版（211ページ）からの引用。

60 岸良的には、情報量がもっとも少ない五分五分の状況が、人間がやる気になるという洞察には、ガツンとやられてしまった。なんだかわからないけどムショーにうれしくなってしまった。

「あと何日?」と質問し続けよう

それぞれのタスクから抽出して、共有したプロジェクトバッファ。このバッファにはさらに使い道がある。五分五分で目標設定した納期だから、なにか問題があれば、必ずタスクの進捗は遅れるという形で見える化する。それを手遅れになる前にゆとりをもって手を打つための先手管理に活用するのだ。

その方法は簡単だ。単に以下のように質問するだけだ。

「あと何日ですか?」

左ページの事例は6日と4日のギリギリの納期に対して、バッファとして、5日のバッファがついている納期だ。たとえば2日目の時点で、「あと何日で終わりますか?」と6日の作業担当者に質問する。あと4日で終わる予定に対して、遅れ気味で6日かかるということなら、2段目に後続の4日のタスクの着手が遅れるので、バッファ5日のうち2日が消費される。[61]これは黄色信号だ。

さらに、あと8日かかってしまうことが判明したとすると、後続のタスクも着手が遅れ、バッファが4日も消費され、[62]赤信号となる。

しかしよく考えてみてほしい。プロジェクトはスタートしてまだ2日しか経っていない。この赤バッファは将来起こりうる未来の選択肢のうちの1つにすぎない。今から手を打つことも可能だ。ベテランやマネジメントと相談し、

61 この手法をバッファ管理という。バッファの消費具合に従ってソフトウエアはあらかじめ設定しておいたバッファの量を越してしまうと、黄色に変わり、さらに深刻な状態が続いてバッファが消費されるとバッファが赤の色に変わる。このメカニズムの詳細は『マネジメント改革の工程表』（岸良裕司著　中経出版　2006年）を参照されたし。

62 黄色の時点で対策立案し、赤になったら対策を実行すれば、手遅れになる前に対策を立案することもできる。それによってどのタイミングでマネジメントが介入するかが決まる。いい換えれば、バッファさえ見ていれば、マネジメントは何をすればよいかがわかるようになるのだ。

バッファマネジメント

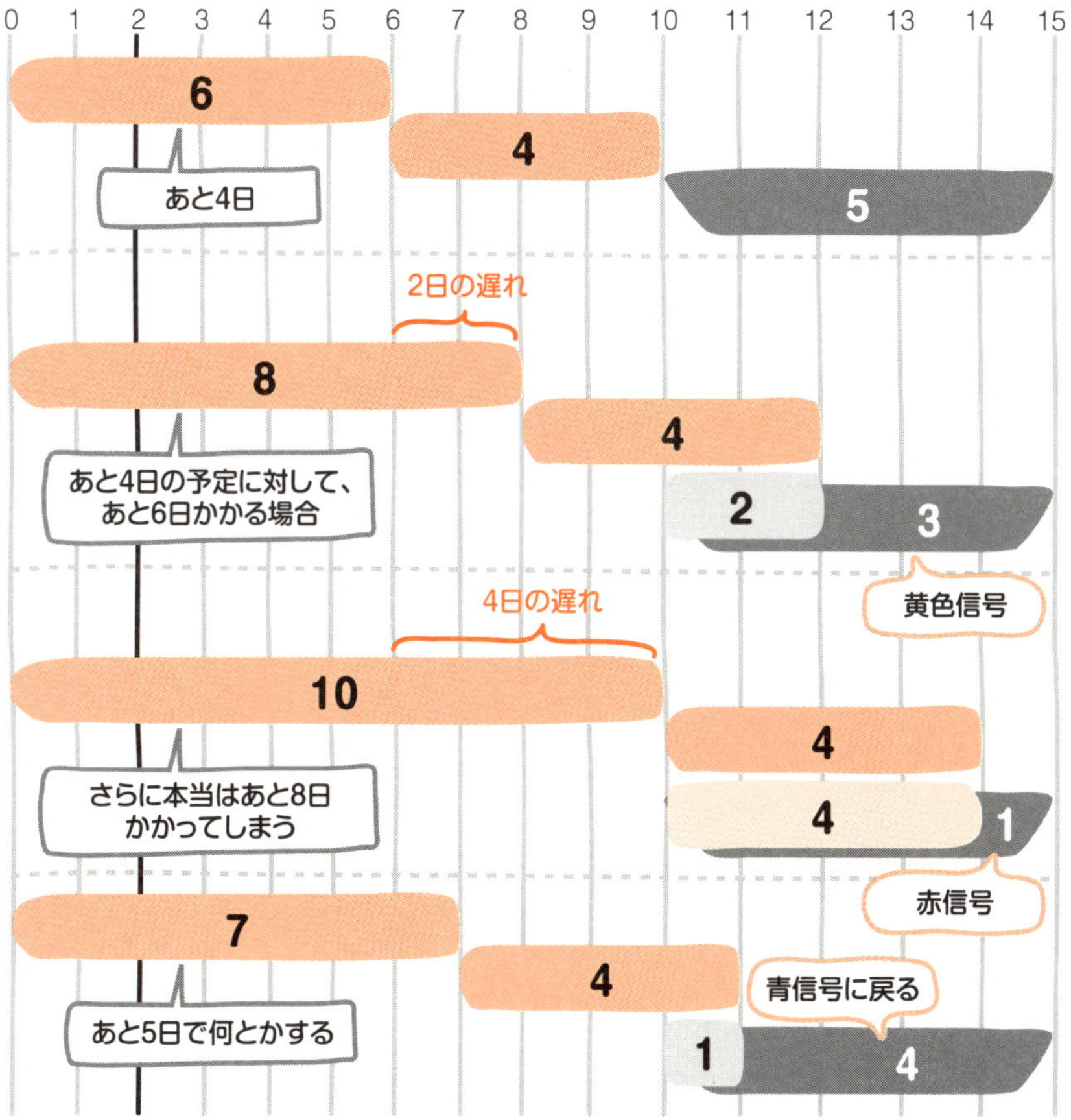

0 1 2 3 4 5 6 7 8 9 10 11 12 13 14 15
6
4
5
あと4日
2日の遅れ
8
4
あと4日の予定に対して、
あと6日かかる場合
2
3
黄色信号
4日の遅れ
10
4
さらに本当はあと8日
かかってしまう
4
1
赤信号
7
4
あと5日で何とかする
青信号に戻る
1
4

なんらかの手を打って、あと5日で終わる手が打てたとすると、バッファは1日消費されただけで青バッファに戻る。

バッファを、遅れを察知するための手段として用いるだけでなく、手遅れになる前に早め早めの先手管理を行うために活用するのだ。これを「バッファマネジメント」という。つまり、バッファを青、黄、赤のシグナルで管理に活用するのだ。

青のときはバッファがまだまだあるので安心だ。もしも、バッファが黄色になったら要注意、バッファの色が赤になる前に対策を考える。そして赤になったら、その対策を即座に実行する。これが過剰管理を防ぐためのパワフルな解をもたらす。

つまり、バッファが青である限り、いかに心配症のマネジメントでもゆとりをもって見守っていられるようになり、現場は仕事に専念できる。

さらに、黄色になったとしても、マネジメントにはゆとりをもって前もって手を打つための余裕が与えられ、先手、先手で手が打てるようになるし、現場も対策が検討されていることを知れば安心できる。

たとえ、赤になっても、前もって準備しておいた対策をすぐに実行すればよい。するとバッファは黄色に、そして青にみるみる戻っていく。これで、過剰管理とはオサラバ。バッファという「ゆとり」を使った「ゆとりのマネジメントの仕組み」が出来上がる。

「あと何日？」でやっていると、面白いことに気づく。全員が未来形で議論するようになるのだ。納期を守るためにこれから何をすべきか未来形でみんなが議論するようになる。

過去形の議論、つまり、今日何をやったかを議論しても、これは過去のことだ。完了予定に向かって進んだとは限らない。納期を守るために必要な情報は、つきつめて考えると完了までに「あと何日」かかるかという未来の情報だけなのだ。またそのことは、作業担当者が常に完了納期を意識して仕事を進める訓練にもなる。

毎日「あと何日」と報告すると、終わりに向けての仕事の進み具合も実感でき、プチ達成感ももてて、それがやりがい・はりあいにもつながる。どんな作業でも着手前と着手後では、完了までの見通しは作業に着手した後のほうが正確になる。それも、日程が進むに従い、作業完了まで「あと何日」の見通しはますます正確さを増してくる。さらに作業の習熟度も上がるから段取りの質も上がってくる。だから、日程が進むにつれて「あと何日」の見積もりの精度が格段に高まるのだ。それが作業担当者の作業の見積もり能力の訓練となり、次回は作業の納期をより正確に見積もれるようになる。しかも「あと何日」の報告は簡単でわかりやすい。

「あと何日」は実のところ、新しいことではない。むしろ日常では、普通にみなさんやっていることである。プロジェクトの最終局面で、納期予定日の前日の修羅場でみんなが日常意識するのは、普通、[63]「あと1日しかない！」である。普通のことを普通にしましょうということなのだ。

さらに、この遅れの情報は継続的改善のために極めて重要な情報をもたらす。ギリギリの予定に対して、遅れが起こったことは、常に記録として残っている。その記録をまとめてみると、問題の大きなものが順番に見えてくる。その上位2割の問題をつぶしていくと全体の8割の問題が解決されていくという、品質管理の基本である「パレートの法則」が活用できる。これを実践していけば、「ギリギリくらいの水位」として説明された日本的経営の手法がそのまま不確実性の高いプロジェクトマネジメントの現場でも実践できるようになるのだ。

全体最適のプロジェクトマネジメント

現在、全国で成功事例が続出し話題となっているプロジェクトマネジメント手法にクリティカルチェーン・プロジェクトマネジメント（CCPM：Critical Chain Project Management）がある。今まで議論してきた手法は、このCCPMそのものであることに気づいたひとも多いのではないだろうか。

CCPMは、イスラエルの物理学者エリヤエフ・ゴールドラット博士が発明したTOC（Theory of Constraints：制約条件の理論／最も弱い部分（制約条件）に着目し、そこを集中的に強化し、改善することで、最小の努力で最大の

63　プロジェクトの進捗率をパーセントで議論することが、多くのプロジェクトマネジメントの現場で行われているが、実際に修羅場になって進捗率が何パーセントとかいう議論はあまりされることはない。むしろ、「納期まであと何日しかない！」という議論が普通だ。みなさん、この普通の議論を普通にしましょう！

成果を上げるマネジメント手法）」の考え方に基づき、全体最適の視点から開発されたプロジェクト管理手法だ。

「クリティカルチェーン」とは、「それが遅れると全体が遅れる」というタスクをつなげたチェーンで、これがＴＯＣでいうところの「制約」になる。

失敗プロジェクトの事例を満載している[64]『デスマーチ』のなかでさえ、「なぜこの手法が主流にならないのかわからないほどの目覚しい成果を挙げている」と評判になっているほど、世界各地で目覚ましい成果を上げ続けている。

ＣＣＰＭはイスラエルの博士が開発した手法であるにもかかわらず、実践したほとんどすべてのひとが、日本的な手法だと実感している。それには理由がある。ゴールドラット博士が最も尊敬してやまないひと、それはトヨタ生産方式の生みの親・大野耐一氏だ。その[65]大野氏の考え方を発展させ、不確実性の高いプロジェクト向けに応用できるように開発したものがＣＣＰＭなのである。

自律の意味

ここでバッファの意味について考えてみたい。青なら安心、黄色は対策立案、赤は対策実行である。忙しい経営幹部の方々でも、現場の方々でも、その状況は一目瞭然で、同じ理解でアクションがとれるようになる。

64 『デスマーチ 第2版』（エドワード・ヨードン著 日経BP社 2006年 190ページ）

65 ゴールドラット博士は、大野耐一氏の「考え方」から学べと世界中で常に語る。そして、多くの世界中の人間が、カンバン、アンドンなどのうわべの手法の部分だけに目を向け、大野氏の考え方の本質に目を向けないことをいつも嘆いている。TOCのすべての手法は大野氏の「考え方」に学んだものだと博士自身が語っているように、日本人にはきわめて自然な考え方なのだ。

大野氏の名著『トヨタ生産方式』の中に「工場中に自律神経のネットワークをはりめぐらせたかった」という言葉がある。彼は自律神経のことを「熱くなったやかんを触って手を放してもいいですか？　と上にお伺いを立てる前に、即座に手を離すことを現場が判断できるようにすることだ」と語っている。

ＩＴ化が進み、現場の見える化は盛んに行われている。でもその実態は、現場の情報がリアルタイムに報告され、上のほうで判断するという仕組みが多いのではないだろうか。これでは、自律分散とはいえない。上にお伺いを立てる仕組みは、[66]そのままになっているのではないだろうか。

バッファマネジメントは、現場で何をしなければならないかを自律的に判断することを可能にする。それは経営者と同じ基準の判断基準によるものだ。クリティカルチェーンを実践された人びとは一様に「現場の人材が成長した」と感想を述べるが、それは現場が経営者と同じ判断基準で動いていることに、[67]成長を実感するからであろう。

バッファは、いい換えれば「ゆとり」である。個々の責任感がもとになって、安全余裕として個々のタスクに隠れてもっていた「ゆとり」。それを1つに集めて管理すること。それは全体で責任感を共有したことに他ならない。

要するに、タスクを優先して個別最適で行われていた管理を、全体最適で「ゆとり」を管理するということだ。つまり「ゆとり」のもち方の変革が、経営の質の変化につながるほど大きな変革になるのだ。

66　むしろ自律的な行動を妨げ、上にお伺いを立てる行動を加速してしまうきらいさえある。いわゆる「ひらめ人間→105ページ参照」はこういうところでも育成されてしまうのかもしれない。

67　従来のＩＴ化は、ともすれば、データを上に、リアルタイムで情報を経営幹部に、つまり脳みそにもっていくことで、判断をするという仕組みになりがちだった。自律的経営を指向するなら、本来は、経営者と同じ判断を現場ができるように、「脳みそを下にもっていく」ことが本質ではないかと思う。

例外による管理を実践するプロセス

さて、今まで議論してきた数々の事項がどのようにつながって、そして、プ[68]ロジェクトがどのように変わるのかをここで考察してみたい。

167ページの図を見ていただきたい。目標設定では、ODSCをみんなで行い、メンバーの言葉、一つひとつを丸めずにそのまま入れる。そのODSCには財務の視点、顧客の視点、業務プロセスの視点、成長と育成の視点、経営理念の視点、社会貢献の視点が入っていて、それらはステークホルダーみんなが期待しているものでもある。それを見た経営幹部のモティベーションも上がる。

実行計画作成作業では、ベテランも交えて、みんなで段取り八分で議論して、社内の知恵の詰まった工程表を作成する。その議論のなかで、ベテランの知恵が若手に伝わり、ベテランと若手のコミュニケーションの風通しがよくなる。ギリギリの納期にチャンレンジすることは、常に問題を見える化することを可能にする。

個々のタスクにあった安全余裕を1つにまとめると、[69]チームワークが加速する。そして、集めたバッファを積極的に活用し、バッファマネジメントをすれば、過剰管理に陥ることなく、現場を支援するために、いつマネジメントが介入すればよいかが一目瞭然になる。

68 「CCPMはスルメみたいだ。噛めば噛むほど味が出る」

この手法を適用された方々が同様に述べられる感想なのだが、このCCPMという手法は、考えてみれば当たり前のことばかり。しかし、実践していくうちに、一つひとつのことが実に理にかなったものであり、そして、深い意味をもっているかに気づかされる。当たり前のことばかりということだが、もしも周囲を取り巻く環境がそれと違っているなら、当たり前のことが行われていない証拠でもある。いい換えると、当たり前のことをやることで、状況が劇的に変わることが期待できるということだ。

よくいわれることではあるが「行動だけが現実を変える」——それならば、「まずやってみる」ことが一番の近道なのかもしれない。

69 安全余裕は責任感の裏返しでもある。個々にもっていた安全余裕、つまり責任感をチームで共有することは、チームで責任感を共有することになる。つまり、チームワークが加速することにつながるのだ。

ODSCで合意された目標があり、段取り八分で入念に議論し、社内の知恵がつまった工程表があり、さらに、問題があるときは常に手遅れになる前に報告が上がってくる仕組みができているなら、マネジメントは安心して現場に任せられる。

ワクワクするような目標をODSCですり合わせして、しかも、そのなかにはメンバーの言葉がそのまま入っている。それぞれのタスクは目標につながっていて、メンバーの目標に対する各タスクの自己原因性や因果帰属は明確だ。

さらに、できるかできないか五分五分のタスクの目標期間設定によって達成動機は駆り立てられ、メンバーはやる気になる。しかも、バッファマネジメントにより、いざというときに助けてもらえる仕組みがあるから、みんな安心だ。

メンバーがやる気になり、達成動機が掻き立てられ、マネジメントが安心して現場に任せられるようになれば、目標に向かって順調である限り現場に任せ、過剰管理に陥ることなく、問題があるときだけマネジメントがアクションをとる例外による管理が実現する。

しかも、バッファマネジメントは「あと何日」の報告だけで、現場は煩雑な報告作業から解放される。マネジメントもバッファの色さえ見ていれば安心なので、むやみに報告を求めることもなくなり、現場はのびのびと仕事をすることができる。

チームワークが加速し、のびのびと仕事ができる現場。しかも、マネジメントがいざというときに助けてくれて、目標をともに成し遂げる状況になっている現場では、プロジェクトメンバーのモティベーションは上がり、毎日の仕事のやりがいが増す。煩雑な報告作業から解放され、のびのびと仕事ができれば、おのずと仕事に集中できるし、仕事ははかどる。

プロジェクトメンバーが仕事に集中できて、メンバーのやる気と充実したやりがいに支えられて、仕事がはかどり、さらにバッファマネジメントの実践で手遅れになる前に手を打つことができれば、プロジェクトの成功確率はグッと高まり、プロジェクトが成功し続けるようになる。

プロジェクトが成功し続ければ、利益が増え続ける。

ここで注目すべきは赤の矢印だ。利益が増え続け、プロジェクトが成功し続け、仕事に集中できる環境ができると、仕事のはりあいを実感する。仕事のはりあいが高まった現場は、[70]ますますODSCや段取り八分の議論を効果的に実践するようになる。これらの矢印はすべて、やる気につながっている。それぞれの項目一つひとつが実現するたびに、みんなのモティベーションが上がり、そしてそれはフィードバックサイクルで、時間の経過とともに加速していく。

CCPMを入れた会社でよく聞く感想は「会社が創業時代の和気あいあいとした姿に戻った」という話だ。よく考えたら、会社は英語で「Company」、まさに一緒にいる仲間っていう意味だ。だから原点回帰というのだろう。

[71]達成が親和と溶け合っているときは、喜びもひとしお。宴は何かを達成し

70　驚くのは、自分たちだけで実践するのではなく、こういうメンバーが周囲に働きかけ、渦の中心となって、さらにこのやり方を普及させるようになることだ。しかも、それは、社内に閉じた活動ではない。社内だけのリソースで実践できるプロジェクトは驚くほど少ない。だから、社外も入れて、こういうことを実践することで、さらにチームワークの和が広がり、効果が加速するのだ。

71　金井先生のウケウリです。とっても好きな言葉です。

たときにこそふさわしいという。みんなで「これがやれたら最高！」というODSCを作成し、その目標を達成するために「段取り八分」で工程表を引き、できるかできないか、ギリギリの作業期間が設定される。さらには、バッファによるチームワークによる助け合いが実行段階で行われる。

CCPMは「やる気」「やりがい」「はりあい」をもたらすメカニズムが入っていると考えてよいのではないだろうか。

さらにびっくりするのは、クリティカルチェーンの財務的な効果だ。

先ほど述べたようにプロジェクト期間が[72]25％短縮するということは、つまり今の75％の納期でプロジェクトが終わるということである。これを売上100億円の会社にあてはめて考えると、どういうことになるか算数で計算してみると、

100億円÷75％＝133.333億円

となる。つまり、今のリソースを増やすことなく、33％売上を伸ばすことが可能となるのだ。現在のリソースを増やさないでの33％の売上向上がいかに大きな財務的効果を企業にもたらすかは想像に難くないはずだ。

ひと中心、そしてひとにやさしく、儲けがガッチリ出る。それがクリティカルチェーンプロジェクト・マネジメントなのだ。

72　実際の事例では、25％どころか半減、いや、それ以上の事例も世界中にたくさんある。日本に限らず、英語でWEBで検索すると、驚くほどの数の事例があらゆる産業界で報告されている。ぜひチェックしてみてほしい。

「やる気」「やりがい」「はりあい」をもたらすメカニズム

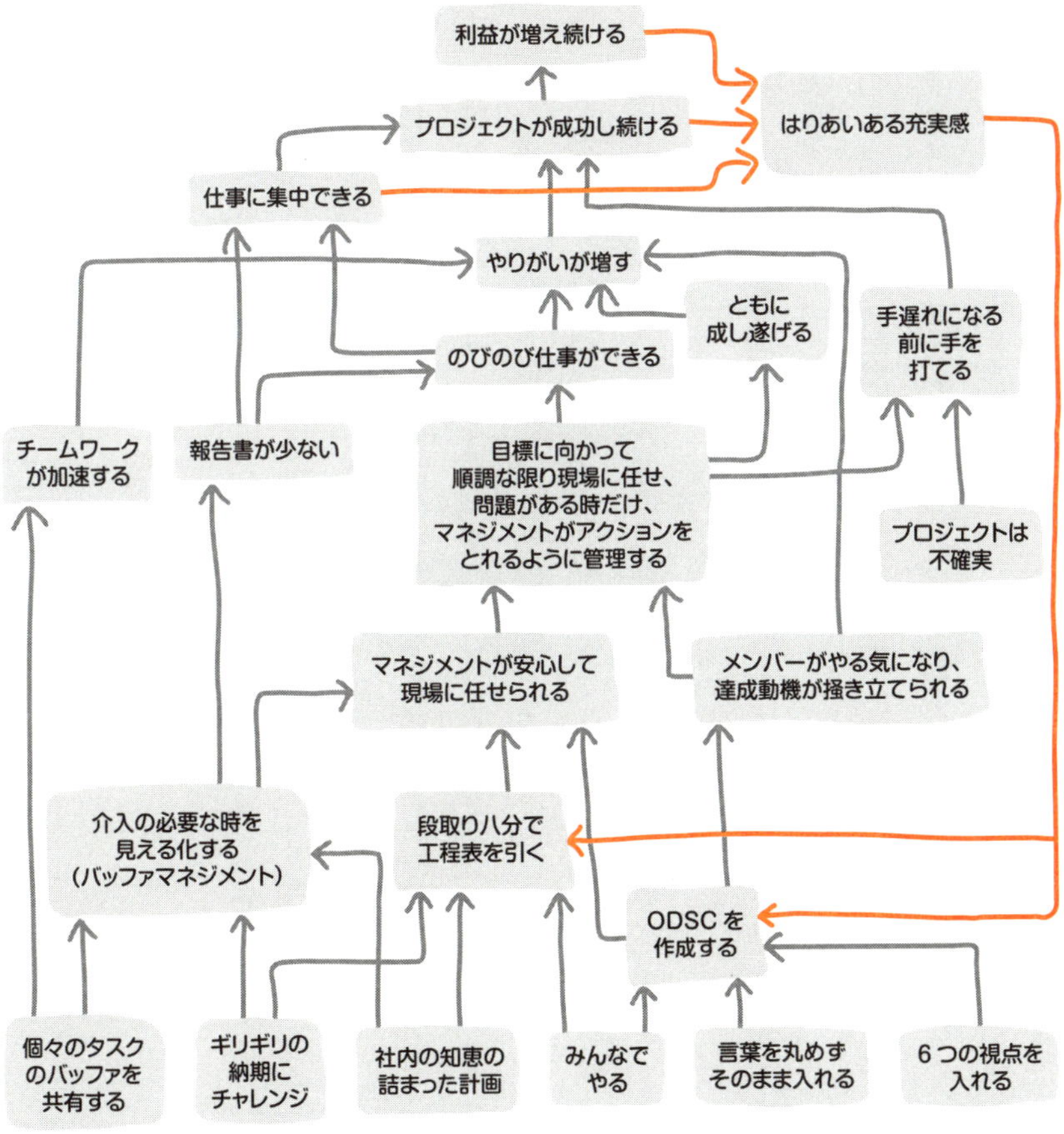
利益が増え続ける
はりあいある充実感
プロジェクトが成功し続ける
仕事に集中できる
やりがいが増す
ともに
成し遂げる
手遅れになる
前に手を
打てる
のびのび仕事ができる
チームワーク
が加速する
報告書が少ない
目標に向かって
順調な限り現場に任せ、
問題がある時だけ、
マネジメントがアクションを
とれるように管理する
プロジェクトは
不確実
マネジメントが安心して
現場に任せられる
メンバーがやる気になり、
達成動機が掻き立てられる
介入の必要な時を
見える化する
（バッファマネジメント）
段取り八分で
工程表を引く
ODSC を
作成する
個々のタスク
のバッファを
共有する
ギリギリの
納期に
チャレンジ
社内の知恵の
詰まった計画
みんなで
やる
言葉を丸めず
そのまま入れる
6 つの視点を
入れる

ちなみに

鎖の一番弱い部分に着目

CCPMやその大本のTOCという考え方が、制約、よく使われる喩えでいうと「鎖の一番弱い部分」に注目している点は、経営学の古典的研究とも、また比較的最近の研究とも重なるところがあって興味深い。

古典では、1938年に『経営者の役割』を書いたチェスター・バーナードが、リミッティングファクターに言及している。組織が何かを目指して進んでいくとき、しかもその経路が、電池の直列つなぎのような一本道であったら、ここをうまく通れなければすべてダメになるというような箇所が戦略的要因(制約的要因)となる。経営者の役割は、そのようなリミッティングファクターを見つけて、ケアすることだとバーナードは指摘した。

また最近では、調査会社ギャロップ社のマーカス・バッキンガムたちが、こんな調査を行った。

組織のマネジャーに、職場に貢献している部下の名前を貢献度の大きい順に数人あげてもらう。さらにそのマネジャーが職場で接することが多い部下の名前を接する時間が長い順に同数あげてもらう。

すると、スポーツの世界では、前者のリストと後者のリストが名前も順番も一致した。マネジャー（監督）は、貢献度の高い部下（選手）に、より多くの時間をさいて接している。バッキンガムたちは証明していないけれども、できる選手ほど、ほめて、おだてて、ときにははっぱをかけてコーチングするのが当たり前で、またそうすることが選手の活躍に報いることでもあるからだろう。

ところが、スポーツ以外の組織では、そうでない例もあった。マネジャーは、監督が選手に対してするように、貢献度の高い部下とは長く接する。と同時に、貢献度の低い部下とも、一番ではないにしろ、二番目ぐらいに長く接している場合があった。

それは、その部下が失敗すると、全体が危機に陥るような場合を考慮してのことだった。とくに軍隊や消防や航海などに関する仕事だと、失敗しがちな部下がふだんどおり失敗したら、組織全員の命にかかわるような事態も起きうる。全体の安全を考えれば、マネジャーは、失敗の多い部下と一番長く一緒にいてケアすべきなのかもしれない。これがデンジャーコントロールで、やはり「鎖の一番弱い部分」に着目している。

それにしても、岸良さんのご紹介でお会いしたときのCCPMの元祖・ゴールドラット博士のパワーと機知とジョークには恐れ入った。

「因果が大切なら順番が肝心だ」といって、大声で「あなたが建物の2階から落ちたら、順番はドン！（落ちる音）、ウェ～ン（泣く音）となりますが、あなたが建物の20階から落っこちてしまったら、順番は逆で、ウェ～ン（怖いよう）、そしてドン！（落ちる音）となります。わかりますか？　因果と順番の意味!!」こんな説明を大声で聞いたのは初めてで、それを語るひとが物理学者であることに、妙に納得してしまった。

過剰管理の処方箋

殿

PART4

脱!
過剰管理宣言

かんき薬局

1 処方箋を読む前に

まず改めて注意しておきたいのは、心配菌を退治してしまってはいけないということだ。心配菌は善玉菌であり、異常な増殖さえ起きなければ、ひとにも組織にもよく作用する。何かを成し遂げようとする際にひとが心配症になるのは正常な反応であり、とりわけ担当者レベルであれば、心配症のひとほどよい仕事ができる可能性は高い。

問題は、根っからまじめなひとが課長や部長となって組織を管理したり、プロジェクトを率いたりする場合だ。これまで私たち2人が述べてきたように、こういうときこそ、心配菌は増殖しがちとなる。過剰な心配は過剰な管理を引き起こしかねない。しかし、それは悪気があってというよりは、よかれと思ってのことである場合が多いのだ。こうした心配菌の性質を正しく理解して、処方箋を有効に活用してほしい。

「ひとの問題」と「システム・タスク・仕組みの問題」を切り離して考えてはいけないという点についても、再度念を押しておきたい。

ブラック心配菌

もともとは、心配りができ、責任感の強く、きまじめな人に、プレッシャーを継続的にかけることで、「心配菌」が「ブラック心配菌」に変異することが知られている。タチが悪いのは、相手によかれと思って、やたら過剰な心配をしてしまい、異常なスピードで周囲に対して管理をするために、かえって現場の仕事のジャマをしてしまうことである。

ブラック心配菌が恐ろしいのは、繁殖力が異常に強いということだ。プレッシャーが大きければ大きいほど、それを培地にして、大量に繁殖してしまう。一般的にパラノイアともいわれる状態を引き起こすことがよく知られている。

よみ薬『過剰管理の処方箋』を適用することで、たちどころに「ブラック心配菌」

この本は、大学で経営管理論を教えながら、ひとの問題とシステムの問題を分けるような従来の見方に疑問を感じてきた1人と、よいシステムによってプロジェクトがすばらしい成果を挙げれば、人びとは感動するという事実を実務の世界で体感してきたもう1人との出会いによって生まれた。

著者のひとりの専攻する経営管理論では、システムはひとに働きかけ、ひとはシステムに働きかけると考えてきたし、もうひとりの著者が普及に携わってきたTOC理論は、「ひとは善良である（People are good）」という性善説をシステムづくりの土台としている。つまり、人びとの機微の問題への対処とシステムの精緻化は両立しうる、というのが著者2人の共通認識だ。

さらにぜひとも強調しておきたいのは、マネジメントの達人を目指すならば、管理をいとわずにとことんまで極めてほしいということだ。「管理を極める」とは、部下をがんじがらめに締めつけたり、数字を細かくチェックしたり、詳細な報告を求めたりすることではない。

そうではなくて、たとえばCCPMの実践のようにマネジメントを科学のレベルにまで極められれば、管理くささは抜けるはずだと私たちは考えている。その境地、いわば黒帯クラスの管理のありようを表す言葉こそ、「任せて任せず」なのだと思う。それができなくて、心配菌の暴走にあおられるまま、中途半端な介入に終始している白帯のひとほど、過剰管理に走って部下を消耗させてしまうのではないだろうか。

さえも「心配菌」にみるみる戻っていく。
もともと心配りと責任感があるうえ、きまじめな人が正常な「心配菌」をもつことにより、ゆとりをもった偉大な経営者に成長していくことが知られている。

2 「例外管理」「目標管理」の誤解を解く

私たちはＰＡＲＴ２、ＰＡＲＴ３で「例外による管理」と「目標による管理」について議論してきた。この２つの手法はＣＣＰＭにも通じるところがあり、私たちの処方箋の重要な一部をなすため、ここでもう一度言及しておきたい。

「例外による管理」、もともとの英語でいうと「マネジメント・バイ・エクセプション」が、字数を減らすためなのか「による（バイ）」を落として、しばしば「例外管理」と短縮して訳されてしまったのは、この手法にとっていささか不幸だったように思われる。

「例外管理」といってしまうと、「例外が起きたときにだけミニマムに管理する――うまくいっているときは任せて管理はしない」のではなく、「例外が起きないように四六時中いつも管理する」という誤解が生じかねない。これだと、まさに過剰管理そのものになってしまう。

「目標による管理」にも、これによく似た不幸があった。もともとは「例外による管理」に足りない面を補うために、個々のひとたちに目標を設定してもらい、自己管理してもらうこと、すなわち目標を通じてマネジメントする（マネジメント・バイ・オブジェクティブズ）という意味のはずなのに、いつの間にか「目標管理」と縮めて訳されることが多くなった。この訳ではやはり「目標そのものを細かく管理する」ような印象がぬぐえない。

このような不幸な訳語のせいで、「例外管理」「目標管理」と聞くと、なんとなく違和感を覚えるというひとは少なくない。そこで私たちとしては、あくまでも「例外による管理」「目標による管理」の原義を念頭におきながら処方箋をまとめていく。

なお、経営学の流れに則していうと、「例外による管理」が先に登場し、それより一歩進んだ手法として「目標による管理」が唱えられた経緯がある（経営学が好きな読者の方は、かのピーター・ドラッカーを思い浮かべることだろう）が、後記の処方箋ではそうした順番にはこだわらない。

過剰管理の処方箋

さて、私たちが提示したい過剰管理の処方箋は以下の4箇条だ。

①ワクワクする目標を共有すべし
②成功までの道のりを共有すべし
③責任感を共有し、チームワークで活動すべし
④手遅れになる前にお互いに助け合うべし

どうだろうか。どれもこれも聞きあきた言葉、使い古された言葉ばかりじゃないか、などと拍子抜けした読者がいるかもしれない。

だが、奇をてらった処方箋に効能があるとは私たちは考えない。

それと、これら4つの文からなる処方箋は、

「何をすべきか」

だけでなく、
「どのようにすべきか」
という観点で書かれていることに注意してほしい。組織のメンバーにとっては、「What」に対して納得感があり、「How」に対しても共感があることが重要だからだ。以下、順を追って詳しく説明していこう。

①ワクワクする目標を共有すべし

目標がはっきりしないとき、あるいは組織のメンバーたちが目標を共有していないように思われるとき、マネジャーの体内で心配菌が騒ぎ出し、過剰管理への第一歩が始まる。したがって、目標の共有は処方箋の1番目に掲げておく必要がある。

ODSCの作成では、目的、成果物、成功基準をみんなですり合わせていく。大切なのはみんなで議論していくことであり、メンバーは1枚の紙に書かれたODSCに対してのみでなく、作成プロセスにも納得感をもてる。

モティベーションの理論にそっていうと、目標は、緊張系・希望系両方の動機づけ要因（↓36ページ参照）として絶妙に働く。おそらくプロジェクトマネジメントの専門家なら感覚的にわかっているだろうが、目標は、それが未達成であることを思い出させてくれる場合には緊張系として、目標のなかに夢やビジョンが含まれている場合には希望系として、人びとに働きかける。

②成功までの道のりを共有すべし

目標が設定されたら、当然、次は計画を作成することになる。すでに見てきたようにCCPMでは「段取り八分」によって、プロジェクトを成功に導くための計画を立て、みんなで共有する。その際、目標達成までの手順を後ろから議論し、

「この前にやることは何ですか?」

「本当にそれだけですか?」

「○○をすると××ができるんですね?」

という3つの質問を繰り返すことによって、目標を達成するための必要条件・十分条件・因果関係をチェックしていく。

疑問文で相手に問いかける質問は、メンバー間の対話を呼び起こし、議論を自律的に導く技法としてとても重宝だ。

成功までの道のりが共有できたら、「経路が正しい」と思える。経路が描けていることから生まれるこのパワーを、C・R・スナイダーにならっていうと「ウェイパワー(waypower、経路力)」と呼び、ワクワクする目標と、目標に向かっていこうとする意志力(ウィルパワー、willpower)との相乗効果によって、希望が生み出される。

③責任感を共有し、チームワークで活動すべし

個々のタスクの担当者たちが安全余裕をもちたがるのは「責任感の裏返し」と見るのが、ＣＣＰＭのとらえ方だ。しかし、そのままでは問題（つまりマネジメントが介入すべき例外）が「見える化」されないため、タスクごとに「できるかできないかギリギリ五分五分の納期」と「安全余裕のためのバッファ」を分け、さらに後者はプロジェクト全体で共有する。これにより、責任感が共有され、チームワークで活動できるようになる。

モティベーション論の観点からいっても、成功・失敗の確率が五分五分ぐらいの困難なタスクは、達成動機を喚起し、やる気につながる。

ここでは「責任感」という言葉にも注目してほしい。日本語で「責任」というと、「任せて責める」みたいな字面のせいか、ネガティブな響きを伴う。しかし「責任感」といえば、「俺がやらなきゃ誰がやる」と熱い気持ちで仕事を引き受けるような前向きなニュアンスが感じられないだろうか。

英語で責任に当たる言葉は「リスポンシビリティ（responsibility）」であり、その語源は「レスポンス（response／応答）できる」ということだ。したがって「責任感を共有する」とは、何をどのようなやり方でやるのかという問いに対して、チームの誰もがみんなに説明（応答）できる状態、目標達成とそのための計画に対してメンバー全員がそれぐらい深いレベルで納得、共感している状態を指しているともいえる。

④手遅れになる前にお互いに助け合うべし

ＣＣＰＭにおけるバッファマネジメントは、バッファを作業の遅れを察知するための手段として用いるだけでなく、手遅れになる前にゆとりをもって先手管理を行うためにも活用する。

50ページや112ページでは、スラックという言葉で余裕と緩みの両面を指摘したが、余裕がみんなの目に見える形で共有されていれば、緩みや放漫さにはつながらない。問題があったときにだけマネジメントは介入し、いざというときには助けてもらえるから、メンバーは安心して仕事ができる。

また、たとえ何らかの問題が起きた場合でも、その問題がどうしても避けられないものであれば、そのことが教訓となって人びとに共有され、新たなアクションにつなげられるようにＣＣＰＭはできている。ＣＣＰＭはひとの経験を生かせるシステムなのだ。

これらの処方箋に従えば、心配菌をほどよく働かせ、心配りをきかせながら例外に即応できる。「心配りによる管理」(Management by Heart)が実現する。

過剰管理の処方箋

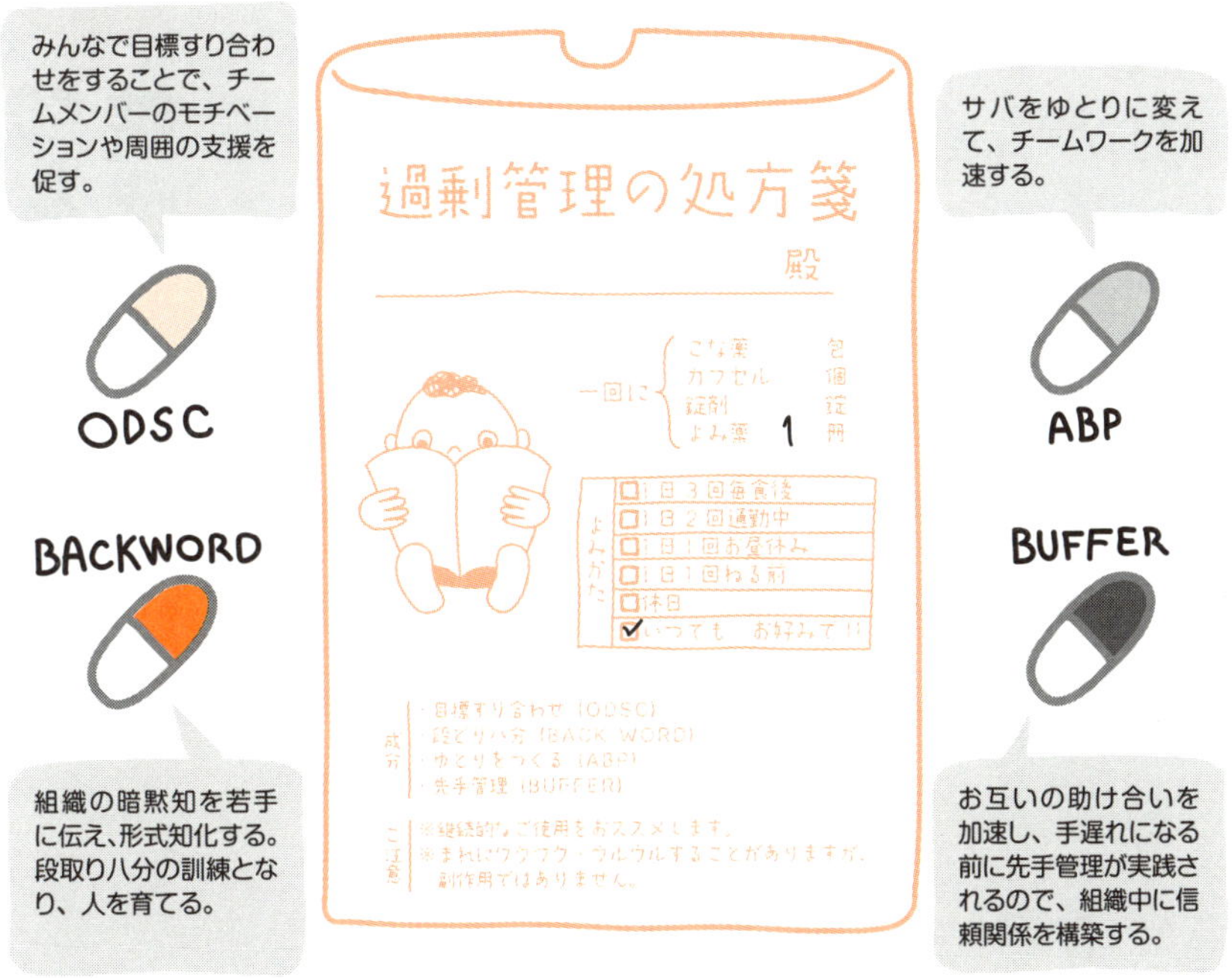
みんなで目標すり合わせをすることで、チームメンバーのモチベーションや周囲の支援を促す。
ODSC
BACKWORD
組織の暗黙知を若手に伝え、形式知化する。段取り八分の訓練となり、人を育てる。
過剰管理の処方箋
殿
一回に
こな薬 包
カプセル 個
錠剤 錠
よみ薬 1 冊
よみかた
1日3回毎食後
1日2回通勤中
1日1回お昼休み
1日1回ねる前
休日
いつでも お好みで!!
成分
・目標すり合わせ（ODSC）
・段とり八分（BACK WORD）
・ゆとりをつくる（ABP）
・先手管理（BUFFER）
ご注意
※継続的なご使用をおススメします。
※まれにワクワク・ウルウルすることがありますが、副作用ではありません。
サバをゆとりに変えて、チームワークを加速する。
ABP
BUFFER
お互いの助け合いを加速し、手遅れになる前に先手管理が実践されるので、組織中に信頼関係を構築する。

4 つながりが納得、共感を生む

ここまでの議論を見てきて、なんて当たり前なんだろうとあきれた読者がいるかもしれない。とくに優れた経営者なら、これらの処方箋に頼る必要もなく、直感的に実践されているので、「なーんだ！　俺がいつもいってることばかりではないかぁー」と感じたひともいるかもしれない。

しかし、当たり前のことをちゃんと教えるのは実はきわめて難しい。現に世の中に数多いる白帯クラスの管理職たちは、心配で心配でたまらないから過剰管理に陥っている。そのうえ、自らの過剰管理が部下やメンバーのやる気を奪っていることに気づいていない。

〝Common sense is not common practice〟という言葉があるとおり、当り前のことこそ実践は難しい。ともすれば心構えだけの精神論だけに陥り、日常の煩雑な作業に忙殺され、実践面ではなおざりになりがちなのではないだろうか。

4箇条の処方箋についても、いつも実践できるほど現実は甘くなく、見渡せばできない理由ばかりが心に浮かんでしまうことも多いのではないだろうか。

大切なのは、当たり前のことを精神論ではなく、納得感と共感をもって、自然に無理なく行動に移せること。

185ページの図を見てほしい。上のほうには会社や組織の中でよく使われる言葉を並べてみた。私たちの処方箋であげた言葉も含まれている。上の部分のつながっていない状態で一つひとつを読んでいってピンとくるだろうか。なるほどと納得、共感できるだろうか。

そういうひとはきっと少ないに違いない。その理由は明らかで、言葉が羅列されているだけでなんのつながりも感じられないから、腑に落ちないのだ。

では下の図はどうだろうか。こちらでは一つひとつの言葉が矢印でつながっている。つながっているからわかりやすい。これなら納得、共感できるというひとは多いのではないだろうか。

「論理的」を広辞苑で調べると、

「比喩的に事物の法則的なつながりについていう語」

とある。要するに、個別の事項についてつながりをちゃんと説明できることが論理的ということだ。つながりがロジックを生み出す。そして何かと何かがつながったと感じられるとき、ひとはそれを楽しいと感じる。だからプロジェクトにせよ、経営全般にせよ、マネジメントがロジカルであれば、メンバーたちの間で成功への道のりに納得と共感が生まれるのだと私たちは思っている。

最後に1つ質問してみたい。

「過剰管理は原因だろうか？　結果だろうか？」

これもまた当たり前のことだが、過剰管理は何らかの原因によって引き起こされた結果にすぎない。病気にたとえていうなら、うわべに表れている症状だ。症状をいくら緩和しても本当の治療にはならない。過剰管理の原因となっている[73]大元の原因に取り組んでこそ、病気は根治する。

「うわべに惑わされるな！　本質を見よ！」と先達は私たちにすばらしい教訓を残してくれている。うわべの結果を見るのではなく、それがどうやって起こっているかという[74]因果関係のつながりを把握し、それを理解した上で、本質に取り組めということなのではないだろうか。

心配は、ひとに欠かせない大切なものだ。しかし、プレッシャーや責任感がトリガーとなって、必要以上に心配するようになると、ひとは心のゆとりを失い、きちんと管理しなければならないという思い込みも加わって、過剰管理についはまってしまう。

心配菌の異常増殖、大元の問題であるこの状態が起きないようにするためには、ゆとりをみんなで一緒にもつことが大切だ。ＣＣＰＭではバッファという形でゆとりを全員が共有している。そのことが全体最適のマネジメントへの扉を開き、責任感の共有、チームワーク、助け合いにつながり、心配りにあふれた組織をつくる。

73　原因さえ解消してしまえば、もう結果は起こらない。要するに、目の前の結果という現象に惑わされることなく、因果関係を解き明かし、原因に取り組めば、自ずと症状は解消してしまうということなのだ。

74　ここでもまた、大野耐一氏の偉大さに改めて気づく。「なぜ？」を5回繰り返すことで、問題の本質に迫り、それを解消していったのだ。

つながりがロジックを生み、メンバーの納得と共感が生まれる

つながっていない状態

- チームワークで仕事をしよう!
- 段取り八分で仕事をしよう!
- やる気を出そう!
- やりがいを持とう!
- はりあいをつくろう!
- 仕事に集中しよう!
- 目標を共有しよう!
- 手遅れになる前に手を打とう!
- のびのびと仕事をしよう!
- 現場に任せよう!
- みんな経営者の視点をもとう!
- みんなでノウハウを共有しよう!

つながっている状態

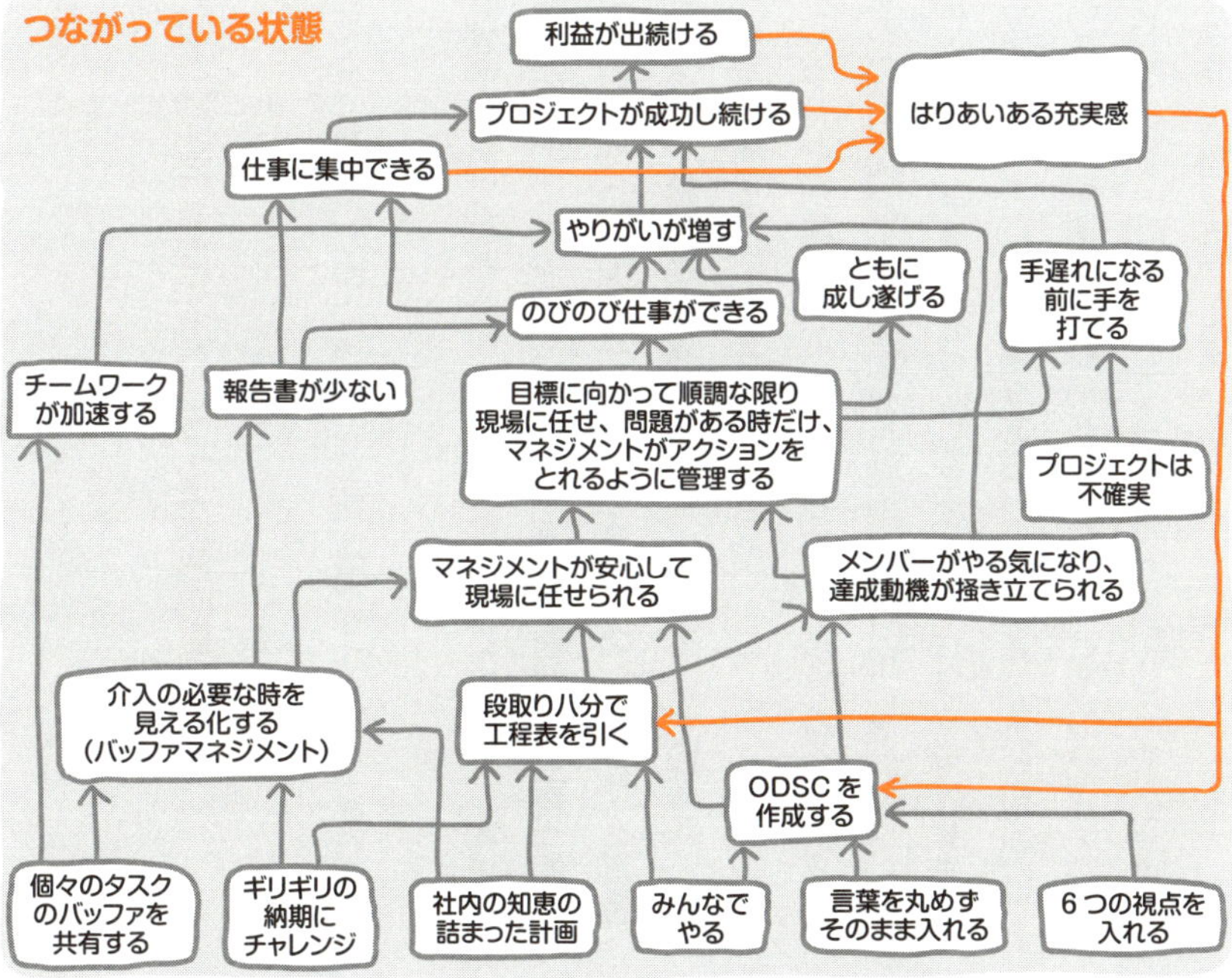

利益が出続ける
はりあいある充実感
プロジェクトが成功し続ける
仕事に集中できる
やりがいが増す
ともに成し遂げる
手遅れになる前に手を打てる
のびのび仕事ができる
チームワークが加速する
報告書が少ない
目標に向かって順調な限り現場に任せ、問題がある時だけ、マネジメントがアクションをとれるように管理する
プロジェクトは不確実
マネジメントが安心して現場に任せられる
メンバーがやる気になり、達成動機が掻き立てられる
介入の必要な時を見える化する（バッファマネジメント）
段取り八分で工程表を引く
ODSC を作成する
個々のタスクのバッファを共有する
ギリギリの納期にチャレンジ
社内の知恵の詰まった計画
みんなでやる
言葉を丸めずそのまま入れる
6 つの視点を入れる

付録

岸良式プロジェクトの3段階におけるパワフルな質問集

ここまで議論してきたことで、どのようにして処方箋をつくってきたか、振り返ってみたい。

まずは、うわべの症状や現象に惑わされず、問題の本質について、因果関係を使って全体の構造を明らかにする。そして、根本の問題解決に真正面から取り組む。問題は、おもに何らかのジレンマである。このジレンマを妥協することなく解決することで、処方箋が見えてくる。そして、その解決した姿が、本当に望ましい状況になっているかを確認する。

あとはできるだけシンプルな言葉だけで現場で運用できるように、明らかになった望ましい状況との因果関係を考えながら質問を作り出していく。

〝Powerful solutions start with powerful questions〟(パワフルな解決策はパワフルな質問から始まる)という言葉があるが、考え抜かれた質問は、望ましい状況を作り出すことに直結しているから、ひとはとてもパワフルに感じるのだろう。プロジェクトにおいて、今まで、私が経験してきた望ましい状況を作り出す質問は左の図の通りである。

岸良式パワフルな問いかけ集

計画段階

目的すり合わせの打ち合わせ

・目的は何ですか?
・他にはないですか?
・6つの視点(財務、顧客、業務プロセス、成長と育成、経営理念、社会貢献の視点)は入ってますか?
・成果物は何ですか?
・他にはないですか?
・成功基準は何ですか?
・他にはないですか?
・これが全部できたら最高ですか?

段取り八分工程表作成の打ち合わせ

・その前の段取りはなんですか?
・本当にそれだけですか?
・○○したら ×× できるんですね?

サバ取り段取りの打ち合わせ

・短くするうまい方法はないですか?
・何か助けられることはないですか?
・平行にやれることはないですか?
・本当に五分五分ですか?

→

実行段階

進捗管理の打ち合わせ

・あと何日ですか?
・問題があるとしたら何ですか?
・何を待ってますか?
・何か助けられることはないですか?
・ゆとりのある人（青バッファの人)、何か助けられることはありますか?

↓

ふりかえり段階

ふりかえり段階の打ち合わせ

・(遅れのとき) 何を待っていましたか?
・なぜ遅れたのでしょう?
・わかったことは何ですか?
・次にやることは何でしょうか?

↓

継続的プロセス改善

↑（計画段階へ）

あとがき

岸良 裕司

日本の四季はとても気持ちよいものだ。とくに春と秋は気持ちがよい。外にのんびりお出かけしたくなる。数年前のこと、春の一日、会社の行事で楽しく公園でレクレーションに出かけた。

その夜、なぜか息苦しくて眠れない。鼻がつまったのか息がいつものようにできない。どうも頭が重い感じがする。風邪かな？　医者に行ってみたら、風邪ではなく、花粉症といわれてしまった。花粉症はご存じのようにアレルギーの一種。私の免疫機能が過剰な花粉の量に耐えられず、過剰に反応するようになってしまったのだ。……本来は自分を守る機能である免疫機能が自分を苦しめるなんて……。

「心配」という言葉も同様。もともとはリスクを回避し、「心配り」ができる機能が、プレッシャーのため

金井 壽宏

２００８年暮れから新年にかけて、「ポジティブ心理学」を経営学に応用するために、神戸大学ゆかりの現代経営学研究所で「人勢塾」を立ち上げる準備をしつつ過ごした。

ポジティブ心理学の開祖、ペンシルバニア大学ポジティブ心理学センター所長のマーティン・セリグマン氏の出世作は、無力感、鬱、悲観主義を扱ったものだ。ところが同氏は、アメリカ心理学会会長の就任演説で「ネクラ心理学はやめて、ネアカ心理学（ポジティブ心理学）をやろう」と述べた。以後、同じ心理学者が、楽観主義と幸せの先生となった。心配菌と長くつきあい、知り尽くした上で、「ポジティブでいくぞ！」と宣言したわけだ。高齢になってから生まれた幼いわが子に前向きな姿勢を教わったという。

に心配過剰になると、現場に過剰管理をもたらし、みんなを苦しめる。

「心配」と「心配り」、一文字の違いだけど、印象は大きく異なる。みんなが「心配り」ができるようなマネジメント。それも、やる気、やりがい、はりあいのある状況で、仕事に取り組めたらどんなによいことだろうという気持ちで、みんなでワクワク楽しみながらこの本の執筆を進めていった。

みなさんゲームをやったことがあると思う。あんまり簡単に成功してしまうゲームはすぐに飽きてしまうし、つまらない。面白いゲームは、何度も失敗を繰り返すことによって「チクショー!」と色々学んで、次の段階に進めるようになっていく。そこが面白い。

失敗したとき、どんなことを考えるだろうか?「あっ、ここはこうなっているんだ!」とわかって、チョッピリうれしかったりする。「あっ、ここはこうなっているんだ! こうすれば、こうなるんだ!」とつながりがわかったときにうれしいのだ。そして、その数々の失敗、つまり、つなげるための試行錯誤そのものを楽しんでいるのだ。ひらめきや新しい発明も、わが国に限らず、世の中はたいへんな時代に突入した。そんな時期がどのくらい続くのか。かのグルーチョ・マルクスは、1929年の大不況のときにいった——「大変な時代が始まったのではない、らくちんな時代が終わっただけだ」と。

今こそ心配菌を悪性にせず、そのパワーを生かして、希望や夢を語るべきときがきた。もともとノーテンキなひとより、心配菌保菌者のほうがトンネルの向こうに希望や夢を展望し、心配をがんばりと協力につなげることができる。脇をしめて、前に進もう。

思えば、司馬遼太郎さんが描いた登場人物は、希望をもってけなげに生きた。幕末から明治の時期、黒船を見れば、そりゃあ心配するだろう。でも危機感をもちつつ、新しい時代の希望を語った。

畏友、テルアビブ大学のギデオン・クンダ氏によれば、開発エンジニアから最もよく聞くのは「予定より遅れている」という言葉だそうだ。プロジェクトに従事するひとは、心配になる理由がある。メンバーはサバを読み、リーダーは過剰管理になる。それに気づいたらまず心配菌を褒め称え、次に本書を手に希望を語何か新しいものが生まれるものではないといわれている。今まである何かと、その他の何かがつながって、新しい発見があるのだ。その発見はまさにつながった瞬間だ。つなげることを人は楽しむ。そして、つなげると喜ぶようにできているのではないかと思うのだ。

大学教授と実務家と絵本作家、そして編集者のこのつながりによって生み出されたこの作品。次から次へと新しい発見の数々。本書の制作プロセスで私たち自身、「あっ、そうなんだぁー!」と脳みそが喜ぶ経験を何度したことか。

学問的にも実務的にも、本当にみなさんの役に立つ本をつくりたい――それが私たちの望みであったが、この処方箋が、読者の方々の現場でつながりを生み、過剰管理に苦しむ組織のみなさんの心配を「ゆとり」でやわらげ、心配りのある現場に変えていくことができたら、望外の喜びである。

ろう。希望の別名は、ゴールドラット博士にとっては、ゴール(目標)。高い目標を追求するから、一方で心配になるし、他方でより大きな希望や夢をもつ。実現したときには感動が渦巻く。CCPMの発表会でも感動が生まれる。そんな話を岸良さんと共有できたのが、この本のスタートラインだった。

末筆ながら謝辞を書かせていただきたい。

ツェッペリン=ロバート・プラント型ボーカリストにして、研究会でも研修の場でも、外国でもいつも元気な岸良裕司さんに、創造性が優しさを伴うすばらしい絵とかわいい菌の絵で楽しませてくださるきしらまゆこさんに、元気な書き手がくたばったときにも最高の支援をしてくださるライターの秋山基さんに心より感謝。出会いに感謝し、この本を手にしているみなさんにいっそうの感謝。

心配と仲良くしながら、希望を育もう、この時代。グルーチョ・マルクスの言葉とこの書籍をお供に、ぜひ。

2009年　早春

祝・脱過剰管理
カンパーイ

【著者紹介】
金井　壽宏（かない・としひろ）
◉——1954年神戸に生まれる。78年京都大学教育学部卒業。80年神戸大学大学院経営学研究科修士課程修了。89年マサチューセッツ工科大学(MIT)Ph.D.(経営学)。92年神戸大学博士(経営学)。現在、神戸大学大学院経営学研究科教授。リーダーシップ、モティベーション、キャリアなど、経営学の中でも人間の問題に深く関わるトピックを主たる研究分野としている。
◉——おもな著書に『変革型ミドルの探求』（白桃書房）、『経営組織』（日経文庫）、『踊る大捜査線に学ぶ組織論入門』（共著　かんき出版）、『リーダーシップの旅』（共著　光文社新書）、『働くみんなのモティベーション論』（NTT出版）、『やる気！攻略本』（ミシマ社）、『サーバント・リーダーシップ』（監訳　英治出版）など多数ある。

岸良　裕司（きしら・ゆうじ）
◉——1959年生まれ。ゴールドラット・コンサルティング・ディレクター。日本TOC推進協議会理事。TOCをあらゆる産業界、行政改革で実践し、活動成果のひとつとして発表された「三方良しの公共事業」は、ゴールドラット博士の絶賛を浴び、07年4月に国策として正式に採用された。成果の数々は国際的に高い評価を得て、活動の舞台を日本のみならず世界中に広げている。
◉——08年4月、ゴールドラット博士に請われて、ゴールドラット・コンサルティング・ディレクターに就任し、日本代表となる。そのセミナーは、わかりやすく、実践的との定評がある。
◉——著書に『マネジメント改革の工程表』『目標を突破する 実践プロジェクトマネジメント』『三方良しの公共事業改革』『出張直前 一夜漬けのビジネス英会話』（以上中経出版）、『全体最適の問題解決入門』（ダイヤモンド社）がある。公職:京都府業務改革推進評価委員会委員、宮崎県総合計画審議会専門委員。

執筆協力＝秋山　基

過剰《かじょう》管理《かんり》の処方箋《しょほうせん》　〈検印廃止〉

2009年2月2日　第1刷発行

著　者——岸良裕司Ⓒ＋金井壽宏Ⓒ
発行者——境　健一郎
発行所——株式会社　かんき出版
東京都千代田区麹町4-1-4西脇ビル　〒102-0083
電話　営業部：03(3262)8011(代)　総務部：03(3262)8015(代)
編集部：03(3262)8012(代)　教育事業部：03(3262)8014(代)
FAX　03(3234)4421　振替　00100-2-62304
http://www.kankidirect.com/

DTP——タイプフェイス
印刷所——凸版印刷株式会社

乱丁・落丁本は小社にてお取り替えいたします。
2009 Printed in JAPAN
ISBN978-4-7612-6579-3 C0034